JN011858

＼何が起きるかわからない今を／
＼生きぬくためのお金ドリル／

一生お金に困らない！

新 お金が貯まるのは、どっちにも!?

元メガバンク支店長／不動産賃貸オーナー
菅井敏之

アスコム

節約だけでは、
一生お金に困らない生活はできない。
金融機関を上手に使って
「資産をいかに増やすか」を考えよう。

相手が何に困っているかを考えよ。
お金とは、「困っていること」を
解決したときに受け取る
「対価」なのだ。

いまからでも遅くない。
すぐに行動するか。
それとも、先延ばしにするか。
あなたは、どっち？

※本文中に出てくる「銀行」は、特別な記載がない場合を除き、
大手銀行、地方銀行、信用金庫などを指します

どうする？ 老後資金が2000万円足りない！

「一生お金に困らない生活を送りたい」。多くの人はそう思ったことがあるのではないでしょうか。同時に、**「でも、現実的に考えると、一生お金に困らない生活なんて、私には無理」**とあきらめていませんか。

地球温暖化による自然災害の多発、新型ウイルスの発生など、いままで経験したことのない時代に私たちは生きています。そんな、**何が起きるかわからない今を生きぬいていくために、自分のお金をしっかりと管理し、資産を増やす知識を持つことがますます重要**になっています。

生活費、年金、住宅ローン、教育費、医療費、自動車費用、保険料、税金、退職金、雇用形態やリストラによる収入減など、お金に関する不安は後を絶ちません。

たとえば、「老後資金2000万円問題」。この問題の発端は、金融庁の金融審議会がまとめた「高齢社会における資産形成・管理」報告書案です。年金で暮らす夫65歳以上・妻60歳以上の世帯は、家計の赤字が毎月約5万円。あと20～30年生きるには1300万～2000万円足りない、というものです。

しかも、これは年金収入が月20万円以上ある場合の数字です。国民年金の人は夫婦でもせいぜい月12万円。これは、富裕層の底上げ分を含む平均の話ですから、貯金2000万円で足りるはずがありません。退職金が数百万円以下の人は珍しくないし、退職金ゼロの自営業者だって大勢います。「いったい、どうしたらいいんだろう」と途方にくれた人の声があふれました。

そのうえ、大騒ぎになったから報告書は「撤回」という話になって、ますます不安が広がってしまいました。

一般的に、平均的なサラリーマンの生涯年収は、2億5000万円ほどだといわれています。そのうち、約2割が税金や年金、健康保険などで差し引かれますので、手取り収入は、およそ2億円です。そこから仮に、住宅費4000万円、保険料1500万円、子ども2人分の教育費3000万円の合計8500万円を差し引くと、実際に使えるお金は、1億1500万円になります。

22歳から65歳までの43年間で割ると、1年間で使えるお金は約267万円。月約22万円で生活をすることになります。定年後の不安に備えての貯蓄も考えると、2億円では少ないような気がします。しかも、私たちの平均寿命は年々伸びていますから、さらに不安です。ノーベル生理学・医学賞を受賞された京都大学教授の山中伸弥さんは、「再生医療が普及して、10年後ぐらいには、ほとんどの病気が克服できるようになるでしょう。すると、人間の平均寿命は、120歳くらいになるのでは」とおっしゃっているそうです。そうなると、ますます生涯年収だけでは足りないのでは、と不安はふくらむばかりですね。


では、どうすればよいのでしょうか。

答えは、その2億円をかしこく管理して、活用することです。

ズバリ、申し上げましょう。それは、金融機関を上手に活用する、ということなのです。限られた生涯年収で資産を増やすのには、やはり限界があります。でも、あきらめないでください。**金融機関を上手に活用する、自分以外の人のお金を活用して、**

自分の資産を増やす方法が、じつはあるのです。

かつてメガバンク支店長を務め、現在は銀行からの融資を活用して資産を増やしてきた不動産賃貸オーナーでもある私だからこそ、お伝えできるノウハウです。本書では、私が実践してきたことをくわしくお伝えします。

もう定年が迫っている、あるいはすでに年金生活という人もおられるでしょう。そんな人でも大丈夫です。本書では、「一生お金に困らない」方法をお教えします。

「お金を貸す側」と「お金を借りる側」の両方の視点を持ちなさい

私は山形県の中央部にある朝日町で育ち、大学入学と同時に上京してきました。卒業後は、三井銀行（現・三井住友銀行）に入行し、その後、横浜と東京の支店で支店長を務めました。大人気ドラマ『半沢直樹』さながらの、銀行員ならではの浮き沈みを経験し、喜びと悲しみを味わいました。また、多くの方々の資産形成において、銀行がいかに重要な役割を果たしているかを目の当たりにしてきました。

48歳のとき、25年間勤めた銀行を辞め、**現在は10棟70室のアパート経営で年間**

6000万円ほどの不動産収入を得ています。銀行員として人に「お金を貸す」側の立場もわかりますし、不動産賃貸オーナーとして銀行から「お金を借りる」側の立場もわかる、というのが私の強みです。

2014年に上梓した初めての本『お金が貯まるのは、どっち!?』(アスコム)は、おかげさまで40万部を突破するベストセラーになりました。読者の方から、貯蓄や不動産に限らず、さまざまな質問や相談をいただき、私は、「お金の専門家」として、アドバイスをしてきました。**銀行員時代を含めると、約3万人ものたくさんの方々が膨大な実例を私に教えてくれました。**本書では、多くの人が不安に思っていることや直面している悩みなどの中から、数多く寄せられた相談を中心にまとめました。とくに第1章では、最近、注目されている問題に最新情報を加えた内容になっています。

まず、本書をお読みいただくにあたり、どうしてもお伝えしたい**「お金を貯めるポイント3つ」**をお話しします。この3つを押さえれば、お金が心配でならないあなたも「そうか。そういうことなら、なんとかなりそうだ」と、思えるはずです。

家計簿的見方（P／L）ではなく、資産的見方（B／S）をしよう

第1のポイントは、お金の話を毎月や毎年の「収入」と「支出」のバランスだけで見る人が多すぎることにあります。収入と支出だけを見て、いくら足りないと嘆き、もっと節約しよう、あるいは、何かに投資して収入を増やそうと思っていませんか？これが、そもそもの間違い。**お金の話は「資産」を含めて見なければダメ**なのです。

企業の損益計算書のことを「P／L」（profit and loss statement　利益と損失の計算書）といいます。個人でいえば家計簿です。**収入・支出だけを見るというのは、生活の結果だけを見ているのと同じです。**

ところが、**お金持ちは**P／Lという結果をもたらす**「貸借対照表」というものを、きわめて重要視します。**

これは「B／S」（balance sheet　バランスシート）で、1枚の紙の左側に「資産」、右側に「負債」と「純資産」を書き出したもの。左右の金額は同じになります。

大切なのは「バランスシート」の考え方

P／L（損益計算書）

貯蓄＝収入－支出

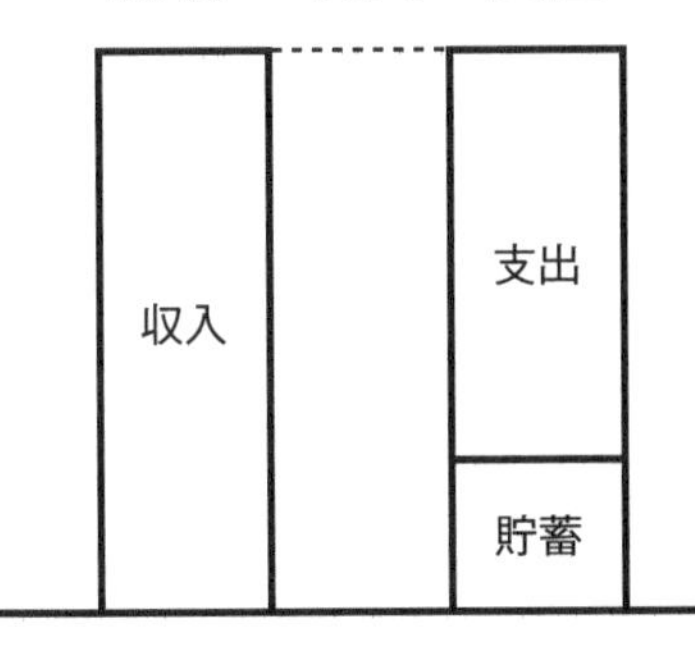

⇨ この表ではあなたの資産の一部しかわからない

収入から生活費を引いて、いくら残ったかがわかる
家計簿はこの考え方でつくられている

B／S（バランスシート）

資産＝負債＋純資産

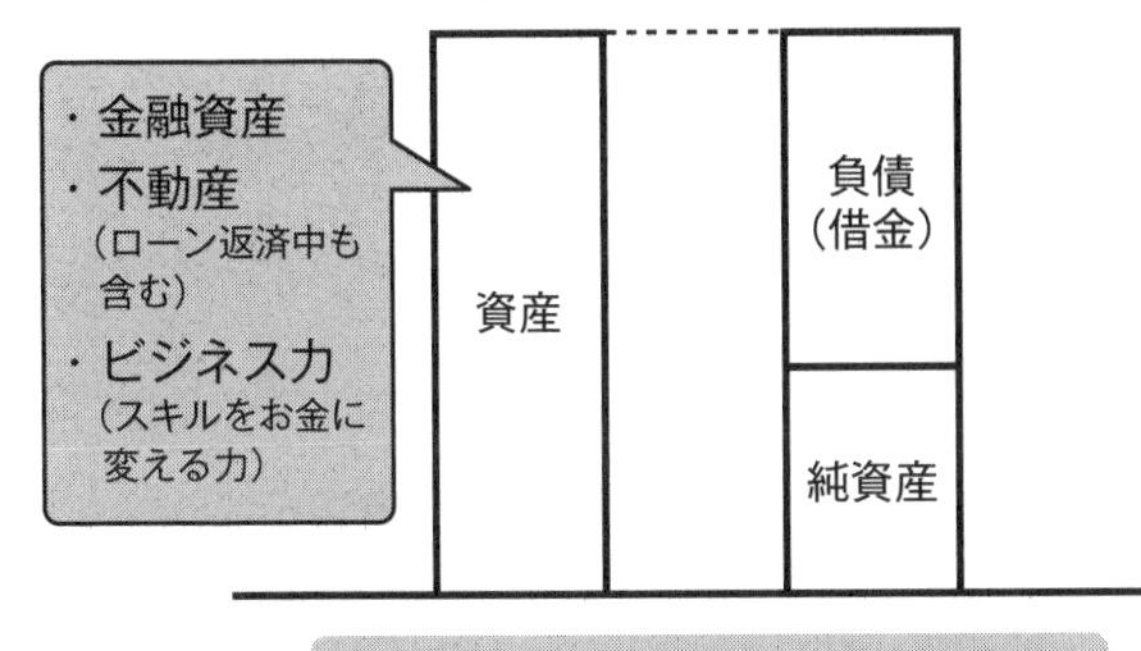

⇨ あなたの資産すべてがわかる

不動産などは、ローン返済中であってもあなたの資産になる

ようするに、右側の負債、つまり**借金も、借りて自分のものにした以上は、自分の資産になるという考え方です。**ただし、返さなければいけないお金だから、返す必要のない純資産とは分けて書きます。

ですから、たとえば住宅ローンが月7万5000円でも、「苦しい」とだけ思う必要はありません。**あなたには、一戸建てなりマンションなりの資産がある**のです。これを元にすれば、いずれ貸し出すなどして収益を得たり、売却してお金を捻出したりができるようになります。

資産の種類は3つ。定期預金の利息や株の配当金を生む「金融資産」、「不動産」、そしてあなたの「ビジネス力」です。「ビジネス力」とは、あなたの「スキルをお金に変える力」のことです。

「収入・支出」だけで一喜一憂せず、「資産」を見ること。**資産こそが、あなたの老後の不安を解消する可能性のある、とても大きな存在である、**ということを忘れないでください。まずは、自分の資産を把握することから始めましょう。巻末に、「あなたの資産がわかる！　バランスシート」をつけました。ぜひ、活用してください

（252ページ「特別付録2」）。

会社のように、親と子どものお金を「連結」させると道は開けます

第2のポイントは、「連結」という考え方がとても大切、ということです。

企業は経営を親会社・子会社といったグループ全体で考えます。個人のあなたは、**親や子どもといった「家族全体」で、お金のことや家のことを考えるべきなのです。**

親世代は高度成長期や安定成長期、つまり1991年のバブル崩壊以前に必死で働き、家を残してくれました。その親から受け継いだ資産を、あなただけでなく、あなたの子どもたちのお金と連結させ、全体として見るのです。そうすれば、道が大きく開けるはずです。くわしくは、第2章をお読みください（121ページ「質問14」）。

「個人資産の6割である不動産」を活用しないで「残りの4割」でお金を増やそうとするからお金持ちになれないのだ

日本の個人資産のおよそ6割は、不動産です。

これは、日本が「高度経済成長」を果たし、その後も長く「安定成長」を続けたこと、土地や持ち家志向が強かったこと、政府の政策もそれを後押ししたことが、大きな理由でしょう。

そこで、第1のポイント「バランスシート重視」につづけて、**第3のポイントは、その資産のところを見て、「不動産を含めた資産活用を」と、声を大にして申し上げたい**のです。

個人資産の6割を不動産が占めるのに、それは放っておいて、残りの4割の金融資産などの活用だけを考える——株を買おうか、FX(foreign exchange 外国為替証拠金取引)はどうだろう、銀行の窓口が盛んにすすめる金融商品にしておこうか、としか考えないのは、**おかしいでしょう?**

私は、もともとが銀行員で、金融商品も販売していました。現在は不動産賃貸オーナーという立場ですから、みなさんに経験に基づいたトータル的なアドバイスができます。不動産の話は第3章に、銀行の話は第4章に書きました。

「今は賃貸住宅に住んでいるし、親の資産もないし、不動産の話は私には関係ない」

と思われる人もいるかもしれません。そういう人は、ふだんの生活でのポイントをまとめた第4章から読まれることをおすすめします。

「将来が不安」なのは、自分にどれくらいのお金が必要なのか、そのためにいま、自分にどれくらいお金が足りないのか、がわからないからです。でも、お金をバランスシートで考え、親子のお金を連結させ、不動産に注目すれば、将来の人生設計が変わります。

一生お金に困ることなく、安心して、自分らしい人生をまっとうしたい……。読者のみなさんが願っていることだと思います。

ぜひ、この本を通して、ひとりでも多くの方の不安が解消され、一生つきまとうお金の問題から解放されることを願っています。

この本を読んで、あなたの選択肢を広げてください。そして、適切な道を選んで、「お金」と「安心」を、しっかりとつかんでください。

菅井敏之

『一生お金に困らない！　お金が貯まるのは、どっち!?』　もくじ

第1章 こんな時代でも お金が貯まる「最新情報」は、どっち？

第2章 仲よく幸せにお金が貯まる「親子」は、どっち？

第3章 大きくお金が貯まる「不動産活用法」は、どっち？

第4章 みるみるうちに必ずお金が貯まる「お金の基本」は、どっち？

第1章

こんな時代でもお金が貯まる「最新情報」は、どっち？

この先、
自分はいくら必要なのかを
数字で把握することが、
お金の不安から解放される
第一歩である。

質問1

税金や公共料金の支払い、「口座振替」と「クレジットカード払い」、お金が貯まるのは、どっち？

私は「税金」「公共料金」を、クレジットカードで支払っています。なぜなら、ポイントが貯まるからです。貯まったポイントはマイルに変えて、好きな旅行を楽しんでいます。

私はアメックスのビジネスカードを主に使っています。

貯まったポイントは、イギリスの航空会社ブリティッシュ・エアウェイズのＡｖｉｏｓマイルに換え、ＪＡＬ便に使っています。

マイルで交換できる特典航空券は、行き先にもよりますが、だいたい１マイルあたり2～10円、うまくいけば最大15円くらいのものにも交換できます。通常のポイントサービスは、１ポイント１円での交換がほとんどですから、マイル交換はとても割のいい還元です。

所得税や法人税などの国税では、クレジットカードによる納付が２０１７年から本格的にスタートしました。市町村や都道府県では、ひと足先に、**固定資産税や住民税などの地方税、自動車税をクレジットカードで納付できるようにしているところがあります。**地方税のクレジット納付に対応する自治体は、これからどんどん増えてくるでしょう。

クレジットカードで税金を支払う一般的な方法は、

「Yahoo！公金支払い」

です。まず「Yahoo！JAPAN ID」に登録します（Yahoo！JAPANのアカウントを取る。わからない人は、お子さんや職場の若い人などに聞いてください）。そして、パソコンやスマホ（スマートフォン）から「Yahoo！公金支払い」に接続し、納付書に記載された納付番号、確認番号、クレジットカード情報を入力すれば、納付完了です。コンビニや銀行に行く手間もいりません。

ただし、クレジットカード払いには、額に応じた決済手数料が発生します。また、現時点で銀行の口座振替（自動引き落とし）を利用している人は「二重納付」になってしまう恐れがあります。この点には注意してください。

クレジットカードで払えるものは、とにかくクレジット払いにしよう

世はカード時代、ポイント時代です。

クレジットで払えるものは、とにかくクレジット払いにします。そうしないと本当にもったいない。繰り返しになりますが、**「ポイント」は「現金」と同じという認識を持ってください。**

ただし、クレジットカードや量販店のカードを利用すれば、ポイントがつくからといって、ポイントを貯めることばかりに目がいき、必要のないものを買って浪費してしまっては本末転倒です。

電気代、ガス代、通信費、プロバイダー使用料、新聞代、NHK受信料など、多くの公共料金（公共的な料金）がクレジットカードによる支払いに対応しています。私は、固定資産税、自動車税などもクレジットカードで支払っています。

口座引き落としやコンビニでの現金払いは支払って終わりですが、クレジットカード払いなら年間でかなりのポイントを獲得できます。ただし電力会社、ガス会社、水道局などによっては、ポイント還元率より口座振替の割引率のほうが高いところがあるので、注意しましょう。

とにかく「知らないことは損すること」につながります。クレジットカードやポイントなんて面倒くさいと決めつけず、上手にお付き合いしましょう。

また、**クレジットカードは、毎月の利用履歴が残りますので、家計の管理がしやすいという大きなメリットがあります。**お金を貯めたい人に、私はこうアドバイスしています。

「3か月だけでいいから、家計簿をつけてください。すると自分が何にお金を使っているか、一目瞭然になります。記録するだけなのに、あなたの『節約する力』がかならず高まって、本当に必要なものだけにお金を使うようになりますよ」

これはレコーディング・ダイエットとまったく同じ。食べたものと体重を毎日記録しただけで、私は体重を79キロから70キロまで減らすのに成功しました。

支払いにクレジットカードを使えば、毎月の利用履歴にどんどん記録されますから、それをしっかり見直すだけで、余計な出費を抑えることができます。

履歴があれば、家計簿をつけることが楽になります。巻末に私が銀行員時代につけていた実際の家計簿「菅井流　お金が貯まるノート」を紹介しています。ぜひ、参考にしてください（２４８ページ「特別付録１」）。

答え

クレジットカード払いに対応している税金や公共料金は多い。ポイントがつくから、口座振替や現金払いよりも断然お得。カードは利用明細が残り、家計簿の管理もラクになる。

質問2

災害多発時代、必要なのは「生命保険」と「火災保険」、どっち？

年をとればとるほど健康への不安が大きくなっていきます。昔の仲間と会っても「こんな薬を飲んでいる」「去年手術をしたよ」と、健康の話題が多くなります。

健康保険に加入している人が手術や長期入院で高額の費用がかかったら、「高額療養費制度」が利用できます。月単位で医療費を計算し、自己負担額、所得、年齢などで決まっている上限額を超えると、その分があとから払い戻される制度です。

ただし、差額ベッド代、食事代、交通費などは高額療養費制度の適用対象外です。病気やけがをすると、医療費以外にもなにかと出費がかさみますし、サラリーマンではない人は、仕事ができないことで収入が減るかもしれません。

収入や貯金に不安がある人は、万一の備えとして医療保険に入るメリットがあるでしょう。

子どもが社会人として自立すれば、親に万一のことがあっても、子どもに多額のお金をわたす必要がなくなります。その時点で、生命保険は見直して当然です。

そのとき万一の備えとして、**多くの人がもっと意識を向けるべきは「火災保険」**。「50歳を境に生命保険から火災保険」と考えて、未加入ならば加入すべきです。

日本の国土面積は、世界の陸地面積のたった0・28％にすぎません。ところが、世界の活火山の7％以上が日本にあります。世界で起こるマグニチュード6以上の地震の2割前後が日本で起こります。地震による日本の被害額が世界に占める割合は、もちろん年によって違いますが、だいたい20％くらいです。

地震だけではありません。「異常気象」がごくふつうのことになってきたようで、台風・豪雨・突風・河川の氾濫・土砂災害などによる被害額が甚大です。

2019年には台風15号と19号が猛威をふるいました。**洪水や浸水、土砂崩れをはじめ、屋根が飛ばされた、窓ガラスが割れたという被害が相次ぎました。**

ご自分のライフプランや資金計画のなかで、自宅や車が浸水する、屋根が飛ばされるといった事態を想定していた方は、何人いらっしゃるでしょうか。これらを自分で全額負担するとなると、かなりの金額になります。

学費などは、将来に備えて貯金をしますが、災害による被害は通常は想定していない出費ですから、なおのこと大変です。

予期せぬ災害に備えて、「保険料」でなく「補償内容」で選ぼう

「火災」保険という名前ではありますが、補償する範囲は出火による損害だけではありません。落雷、(ガス漏れによる) 破裂や爆発、風災、水ぬれ (漏水)、水災、盗難、外部からの飛来物被害なども対象です。

ただし、**火災保険に入れば全部の補償がついてくる、というわけではありません。**「水災」は多くの場合、火災保険の「オプション」になっています。19年の台風19号では、オプションをつけなかったため、多くの人が補償を受けられなかったと聞きました。

「火災」も対象となるのはふつうの火事だけで、地震による火災をカバーするには「地震保険」に入る必要があります。

また、対象が①建物だけ、②家財だけ、③建物と家財と3つに分かれており、持ち家の人とマンションを所有する人では、話が違います。

マンションの人にとっては壁も窓ガラスも自分の持ち物ではなく、その被害は管理

組合がかける保険から補償することになっていたりするわけですね。

このように火災保険は意外と複雑です。

ハウスメーカー（工務店）、仲介業者（不動産会社）、金融機関などが保険の代理店になっていることが多く、家を買ったり借りたりする最初に「保険はこちらです」とパンフレットをわたされます。これを読まず、すすめられたものに加入する人が多いはず。保険料は購入費や家賃に比べてわずかですから、あまり気にも留めません。

でも、予期せぬ災害に巻き込まれた、やっかいな事故が起こった、保険の対象かどうか判断がつかないなど、契約後に相談が必要なときもあります。火災保険にくわしいプロの代理店と契約することも考えたほうがよいでしょう。

火災保険は、年3万〜5万円くらいという「保険料」ではなく、ここまでカバーするという「補償内容」で選ぶべきです。多数の事故例や適用範囲を知れば知るほど、補償を省くことが恐ろしくなるはずです。

忙しくて火災保険の継続手続きを怠り、切れたままになっていませんか？　しっかり確認してください。

「個人賠償責任保険」もおすすめです。

「洗濯機のホースが外れ、マンションの下の部屋が水浸しになった」「植木鉢が突風で飛び、隣家の窓ガラスが割れた」「自転車で歩行者と衝突し、ケガをさせてしまった」「高齢の親が自動車事故を起こした」など、家族に責任があるケースも含めて広く補償します。

火災保険の特約になっていることが多く、保険料も月100円くらいですから、ぜひ加入しましょう。別名「日常生活賠償責任保険」です。

答え

日本は災害多発地帯。50歳は、「生命保険」から「火災保険」にウエイトを移す時期。火災保険は万全か念入りにチェック。想定されるリスクとコストを洗い出し、ダメージがもっとも少なくてすむように、しっかり備えよう。

質問3

定年後の第二の人生、「夫の実家に帰る」、「妻の実家に帰る」、どっち？

企業や役所で30年、35年とまじめに働きつづけた人は、都心は難しいとしても、郊外に戸建てか3LDKマンションを持っています。そして、「田舎で、農業でもやってのんびり暮らしたい」と考える人が、自営業や自由業の人より多いようです。

ところが、奥さんが、あまりいい顔をしません。「いいわよ。あなただけ行ってきなさいよ」なんていわれて、「じゃあ、あきらめるしかないか」となる人がかなりいます。

夫には仕事関係の人脈がありますが、定年後は細くなっていきます。

ところが妻は、ご近所、子育て（幼稚園・保育園や小中学校）、パート勤めなどで地元の人脈をしっかりつくっていて、これは夫の仕事と関係なく続きます。

地元に友人知人が多く、店や居酒屋や医院も知っています。観劇、趣味の集まり、女子会（飲み会）など楽しい予定も詰まっています。ですので、

「なんで田舎に行って、あなたの親戚と付き合わなければいけないのよ」

となるでしょうね。

こういう相談をたくさん受けてきました。そのとき私は、まずこう話します。

「ご主人の田舎に帰るのではなくて、奥さんのほうの田舎に帰りませんか？」と。

地方に奥さんの実家があって両親もいれば、奥さんは自分の親の世話で自宅と実家を行ったり来たりしなければなりません。その地方には奥さんの幼なじみや同級生がいます。

ならば、「田舎で農業がしたい」と思うご主人は、奥さんに「きみの実家のほうに帰るというプランはどう？」という方向に話をむけたほうが、自分の夢が実現する可能性が高いでしょう。

奥さんの実家近くに帰るのであれば、奥さんは、気がかりな自分の親の世話や介護ができます。

地方に帰る最大のメリットは、月5万〜6万円も出せば、近くにスーパーがあって築年数も浅い、小ぎれいな2DKの賃貸アパートで暮らせることです。そこに住んで中古車を買っても、駐車場代は月5000〜6000円という世界です。

そのとき、**自分が所有するマンションは、売らずに貸し出せばよいのです。**月10万

〜12万円くらいで貸すことができれば、地方で家賃を払っても5万〜7万円くらい残りますね。さらに年金が入りますから、その分もプラスされます。住宅ローンが残っていたらアパートローンに変えましょう。

貯金に余裕があれば、奥さんの実家近くで中古一戸建てを買ってもいい。300万〜400万円ほどで手に入り、リフォームしても数十万円なら、おすすめできます。ただし、いきなり購入ではなく、お試しとして賃貸からをおすすめします。

農業もいいが、じつは地方は東京の人材を必要としている

ご主人の夢である農業については、どうでしょう。地方都市ではどこでも10分も車を走らせたら、畑や田んぼが広がり、放置耕作地もたくさんあります。

町・村役場に相談に行けば、新規農業の補助金制度のことなどを、あれこれ教えてくれます。定住政策があって、家賃やリフォームに補助金が出るところもあります。

じつは地方は、「大都市のスキルや人脈」を持つ人を求めています。

仕事や陳情で東京に来る地方の人は、ビジネスホテルに泊まってとんぼ返り。東京に人脈はないし、ＪＲとメトロをどう乗り継げばどこに行くかもよく知りません。

ところが、東京に人脈があって、東京のことをよく知っている人が地方に行くと、とても重宝されます。**地方では、その人の「市場価値」は、自分が思っているよりもはるかに高いのです。**これは、私自身が地方出身者で、ときどき、地元に帰っているからこそ、気づいたことでもあります。


ですから、「地方で畑仕事」もいいけれど、「地方で中小企業の働き口を探す」という選択肢もあります。「営業部長になってくれないか」という話が、見つかるかもしれません。

地方の会社は、人手不足で人材不足、とりわけ後継者不足に悩んでいます。「地元の国公立大学出が、１人でいいから来てくれないかな」と、社長がここ30年ずっと思っているのに実現しない中小企業は、数えきれないほどあります。

この意味で地方は、大きなフロンティアともいえるのです。

ご主人の夢だという農業は、じつは本人が「土いじり」をしたいだけかもしれません。長年、都会で働いてきたから、そろそろ田舎に帰りたいと思っているのです。

でも、実際ご主人が田舎に帰って農業を始め、明け方から晩までずっと働いてみれば、2～3年たって「9時～5時の仕事のほうが、やっぱりオレには向いてるかも」なんていいだすかもしれません。

そうならないように、ゆっくり時間をかけて、さまざまな可能性や選択肢を検討してください。

答え

夫の夢が定年後の「田舎暮らし」「農業」なら、妻の実家に帰るほうがうまくいく。都会にある家は売らずに貸し出すことで、定期収入を得られる。地方では農業以外の働き口が見つかるかも。

質問4

生きているうちに、子どものためにやっておくなら、「遺言書」か「生前贈与」か、どっち？

相続で揉めないためには、遺言書の作成が必須です。多くの人は、そのことをわかっています。でも、書いていない人がほとんどです。

親から白黒つけられる子どもの気持ちを考えると、「書かない」のではなくて、「書けない」のです。

親が遺言書を書かずに亡くなれば、残された兄弟姉妹が「遺産分割協議書」をつくるとき、みんなで親の気持ちを想像しながら話し合うことになります。

でも、親の面倒を見た度合いが違うし、それぞれの家庭の事情もある。「父さんはこう思っていたはず」という考えが、兄弟姉妹それぞれで食い違いかねません。

すると、喧嘩になってしまいます（107ページ「質問12」）。

ですから**「生前贈与」は、親が生きているうちに実行しておく、間違いのない遺言なのです。**

ただし、現金の贈与では、1年間に110万円を超えると贈与税が発生してしまいます。そこで、遺産を「現金」ではなく「不動産」にすると、実際の取引価格より低く評価されるケースがあります。

「不動産」を贈与すれば、贈与税を低く抑えることもできるのです。

不動産投資というと、高額の資金が必要だし、空室リスクもある、管理だって大変そう、お金と違って分けにくいし……など不安要素が頭に浮かび、敬遠される方がいらっしゃるでしょう。

100万円から始められる不動産投資「不動産小口化商品」

そんな方のために、1口100万円単位で所有・贈与・相続できる「不動産小口化商品」を紹介します。不動産が持つメリットをそのまま活かしながら、小口に分割することで、より一層、扱いやすく身近なものになるという商品です。これは、国が定める「不動産特定共同事業法」に基づいたものです。

親の立場からしても、子どもに500万円の「現金」をわたして贈与税を余分に払い、消費や娯楽に使われてしまうよりは、**500万円の不動産小口化商品を購入し、それを贈与するほうが、子どもにお金を浪費させることなく、安心です。**

生前贈与をおこなう際は、贈与契約書作成の手続きが必要です。分配金は不動産収入ですから確定申告も必要になってきます。

もちろん定期預金とは違いますから、元本保証ではありません。**管理運営のプロである不動産会社の信用・運営能力や投資物件の事業性に対する見きわめも必要です。**

これまでお会いしてきた相談者のなかには、自分がどんどん高齢になっていくと、いま持っている不動産の価値が下がってしまい、このまま古いアパートなど持っていてもよいのか、と不安に感じている人が多くいらっしゃいました。この状況のままで相続が発生してしまうと、子どもに不動産を「資産」ではなく「負担」として引き継がせることになる。そう悩まれる方は多いのです。

こうした不安から解放される方法として、古いアパートを売却し「不動産小口化商品」を購入するというかたちで、資産の組み換えを検討される方は増えています。

年1～2回の分配金は、旅行や食事など、ゆとりある生活資金となります。

「不動産小口化商品」は地域貢献にもなる

いま、銀行など金融機関は投資信託や保険商品の販売に躍起です。それぞれの人が貯めた金融資産が、投資信託としてさまざまな外国や会社の資金として投資されています。しかし、それらの金融商品を購入して得をする人は、私の経験上、ごくわずかです。最近も、株価暴落により大きな損をした、どうしたらいいですか？　という相談が相次いでいます。

一方、**不動産小口化商品であれば、ひとりでは所有できない質のよい不動産資産を、みんなでシェアして所有し、配当金を受け取ることができます。**国内不動産ですから、為替リスクはありません。

近年、地方では、空き家・空き室、空き店舗によるシャッター通りなど、町の空洞化が大きな社会問題となっています。そのため、**個人それぞれが節税や老後対策のためにおこなう不動産投資は、町の再生や活性化につながっていきます。**

それは今後、不動産小口化商品が、これまでの「点」としての不動産投資から「面」として発展する「まちづくりへの投資」へとかたちを変える可能性を秘めているということです。

不動産小口化商品によって、町に社会性のある優良な物件が増え、住みやすい町になれば、それはすてきな地域貢献だと思いませんか。

私は、志と社会性にあふれた不動産運営のプロが、全国でこの不動産小口化事業（不動産特定共同事業）に取り組まれることを望んでいます。「お金の地産地消」を進めることが、地域の活性化につながることをおわかりいただけたと思います。

ご自身が生きているうちに、未来世代のサポートや地域価値を高める当事者として参画されてはいかがでしょうか。始めるにあたっては、信用できる不動産の専門家に相談しましょう。

答え

相続資産は圧縮効果のある「不動産小口化商品」にして生前贈与する。子どもに気持ちをしっかりと伝え、未来の世代の生活をサポートすることが大事。

いかに先のことを考えられるか。
仕事も、資産形成も、人生も、
同様である。

質問5

定年後も「自宅に住みつづける」か、「売却する」か、どっち？

首都圏に住んで一見、豊かな生活をしているようなご家庭でも、じつは手持ちの貯金が少ないという方はたくさんいらっしゃいます。

一流会社に勤め、郊外にファミリーマンションや戸建てを買い、住宅ローンの延滞など一度もなく、子どもを大学まで通わせまじめに暮らしてきたのに、老後は2000万円必要などといわれると、「えーっ、ちょっと待って」という人が多いと思います。

実際のところ、バブル期が住宅取得適齢期だった、60歳前後から70歳ぐらいまでの元サラリーマンのご夫婦の多くは、こんな感じになっています。

マイホームを建ててから30年以上が経ち、だいぶ古くなったし、子どもも出ていって夫婦2人では家が広すぎる。

子どもを中心に考え、立地的にも環境のよさを選んで駅から離れた郊外に建てたものの、年をとってくるとわざわざバスに乗って出かけるのがおっくうになったり、車を運転するのが不安になってきたりします。

そこで近くに駅やスーパーなどがあって生活利便性の高いところに夫婦で移り住む。自宅を売却して資金を捻出し、２ＤＫぐらいのマンションに住み替えてもいいし、もっと先を見据えて将来老人ホームに入るのであれば、資金は取っておき、賃貸マンションに住んでもいい。

格安で買えるリゾート物件に移り住み、趣味や好きなことをする暮らし方をするのもありだと思います。

このお金は自分たち夫婦が汗水流して働いて、ローンを返済して得たお金です。自分たち夫婦で使いましょう。

「リバースモーゲージ」を上手に使えば、自宅に住みつづけられる

すでに利便性の高い自宅に住んでおり、自宅に愛着がある場合は、「リバースモーゲージ」や「リースバック」の利用で資金を捻出し、このまま自宅に住みつづける方法があります。

「リバースモーゲージ」は、家（自宅）を担保に生活資金目的で融資を受け、毎月利息だけを支払いながら、死亡時に家を売却して一括返済する高齢者（55歳以上）のローンです。たとえば、土地の時価の50％を融資上限（500万～2億円）などと設定し、死亡後は遺族が売却して返済。融資金返済後の剰余金が出れば相続人が受け取ります。

契約者が亡くなっても、配偶者は、契約を引き継ぎ自宅に住みつづけることができます。これは大きな安心です。

「リースバック」は、保有不動産を売却し、そのまま賃借として家賃を毎月支払いながら住みつづけるサービスです。

売却により一括でまとまった資金を得て、そのまま住みつづけられますから、生活の連続性が保たれるので、年齢がいってから生活環境を変えたくない人には安心できるでしょう。

戸建てだけでなく分譲マンションや、倉庫、駐車場など資産の種類は、まったく問われません。

生活資金の活用に限定されるリバースモーゲージとは異なり、資金使途は自由です。キャッシュフローを圧迫する住宅ローンをはじめ、各種ローンの解消にも使えます。捻出した現金でワンルームマンションなどを買い、その賃貸収入を生活費にまわす方法もあります。

私の不動産賃貸事業仲間でも、捻出した資金を頭金にして新築アパートを1棟購入し、ゆとりある生活を楽しんでいる人もいます。

日々の生活ではどうしても「収入－(マイナス)支出」のいわゆるP／L（損益計算書）の世界に目が行きがちです。定年後のあまりの収入の少なさに暗い気持ちになることもあるでしょう。でも、プロローグでお話ししたとおり、**B／S（バランスシート）、つまり「資産－(マイナス)負債」でみた場合、思っている以上に純資産が多くなっている人も多い**のです。

節約、節約だけをして、全体の規模を縮小していく先には縮小しかありません。P／Lの考え方でいるかぎり、どうしてもそうなります。

自宅というたしかな資産を、キャッシュというフロー資産に置き換えることで、シニアの生活にゆとりが生まれます。

これが高齢者の消費活動につながれば、日本経済はもっと活性化し、若い世代の収入増にもつながってくるはずです。

答え

定年後、生活資金を得るために自宅を活用する方法がある。「リバースモーゲージ」「リースバック」を利用し、自宅に住みつづけながら老後の資金を手に入れる。自分が築いた、たしかな資産を見直そう。

質問6

うまい話にだまされやすいのは、「高収入のエリート」か「ふつうの会社員」か、どっち？

前の質問では、定年後は収入減だけにとらわれて不安にならずに、自分が築いた資産（不動産）に目を向けて、生活資金をつくりだす方法をお伝えしました。

なぜなら、老後の不安や閉塞感にさいなまれ、「あなただけに特別な情報」などという怪しい話につい巻き込まれて、**一発逆転をねらい、大切な老後資金をなくしてしまったケースをたくさん見聞きしてきた**からです。

こういったケースに多いのは意外にも、**現役時代に仕事ができた決断力のある人たちです。**

いわゆるエリートサラリーマンですね。現役かリタイア組かを問わず、私のこれまでの相談経験のなかで、これははっきりいいきることができます。

年収1000万円以上の経営者・医師や、一部上場会社の社員や公務員はもちろん、年収にかかわらず「自意識がエリート」の人も含みます。

こうした**お金の罠にはまりやすい大きな理由のひとつは、「融資」を受けやすいことです。**

手持ちのお金はなくても、「これぐらいのものを持っていないと、格好がつかない」と見栄をはってしまうからなのか、カードローンについ手を出してしまう。

ローン会社は簡単に融資してくれます。

しかし、ローン会社はあなたの人柄に融資するわけではありません。

あなたの高収入という「属性」に依存して、お金を貸してくれるわけです。

これはつまり、**「何があってもボーナスや退職金で返せ」ということです。**

カードローンで穴埋めをしなければならないような人は、本当は支出をコントロールしなければならないのですが、安定した収入を得ている、大企業に勤めているがゆえに、脇が甘くなってしまうのでしょうか。つぎに何を考えるかといえば、なんとかもっと収入を伸ばす方法はないだろうかと思うわけです。

なぜかいきなり株式投資をしたりFX（外国為替証拠金取引）をしたりして、少しずつ危ない投資に近づいていきます。いや、そんな話がやってくる、というほうが正しいかもしれません。

仕事中、突然ワンルームマンション業者から電話がかかってきたりもします。

「お客様は特別ですから、わたしが銀行を紹介させていただきます。特別にいいかたちで全部セットしますから」

などと、ダメな不動産をすすめられることもあります。

エリートは、この「特別」という言葉に弱いことをセールスマンは知っています。

投資セミナーには、30代、40代のエリートがたくさん来ています。

彼らの気持ちはわかります。上司も部下も気に入らない、なんとかここから抜け出したい、と思っても出口が見えず、閉塞感でいっぱい。せめて何か副収入を、と思ってやってくるのです。

でも、**ろくに投資の勉強もせず、お金も貯められない人が甘い話に乗るだけでは、破綻は見えています。**

たとえば外資系金融マンであれば、手取り年収2000万円くらいの人がごろごろいます。

その年収の2割を貯金したら400万円が1年で貯まり、5年続けたら2000万円になります。だからといって、それができる人ばかりではないんですね。なぜなら、億ションや外車の購入、豪華海外旅行、子どもは幼稚園から私立、自分はストレス発散のため今日は六本木、明日は銀座、という生活をしているからです。

「自分は特別」と思うエリートが危ない

高い年収を得ているエリートがお金の罠にはまりやすいのは、やはり「特別な自分だから、特別ないい話が来るのだ」と考えているから。**「うまい話などない」というのが世の中の常識です。**「特別なあなたには損はさせない。絶対に儲かる」という話はすべてウソだと思ったほうがいいのです。

不動産投資の場合、ダメ物件でも借入人がエリートだと審査が通ってしまうことがあります。空き室になったり修繕費がかさんだりしたとしても、高い給与収入や退職金でカバーできると判断されてしまうからです。

しかし、普通のサラリーマンの場合は、そうはいきません。

きちんと勉強し、時間をかけてコツコツとお金を貯め、充分な自己資金を投入しないと融資は受けられません。結果的に、そういう努力をした普通のサラリーマンのほうが、いい物件を持ち、成功されています。

「自分は特別」などと考えていませんから、うまい話にも飛びつきません。脇を締めているのです。


いい会社に入り、いい給料をもらっているのは実力かもしれません。しかし、その環境にはかならず周囲からのお膳立てがあります。投資やお金の世界はそれとは違います。会社のように、みんないい人、ばかりではありません。自分だけは大丈夫と思っても、それは過信かもしれません。

「5年でリタイアするから」と、たいした勉強もせず、ダメ物件を立て続けに購入し、いま、ゾンビ状態にあるエリートサラリーマンを私はたくさん知っています。

収入を増やそうと考える前に、まずは自分の肥大した支出を見直し、毎月の収支を黒字にしてお金を貯めてください。投資を考えるのはそのあとです。

答え

危ないお金の話にのってしまいやすいのは、エリートサラリーマン。自分を特別だと思ってはいけない。絶対に儲かる話などない。自分を過信せず、まずは毎月の収支を黒字にして、お金を貯める。

「優秀な人」より、
「信頼されている人」が
うまくいく。

質問 7

空き家になった実家は、「売る」、「売らない」、どっち？

親が亡くなった実家を「空き家」のまま放置すると、こんなリスクがあります。

（イ）建物の劣化による資産価値の低下（換気や掃除をしないので、カビや虫が繁殖し、壁紙・床・天井などの劣化が進む）

（ロ）不法投棄や不法侵入（放火の心配も）

（ハ）景観悪化、雑草や虫の発生による近隣からのクレーム

（ニ）屋根や外壁の崩れ、倒壊による近隣や歩行者への損害賠償

では、空き家にしないために、実家をどうするか。選択肢は次の3つでしょう。

①売却して現金に換える
②人に貸して賃料を得る
③自分たちが住む

①「売却」は、わかりやすい話。売って現金化し、兄弟姉妹で分ける。子どもがあ

なただけで、その家に「賃貸」の需要があれば、②もいい。兄弟姉妹がいる場合は、誰が管理して収益をどう分配するか、話し合いが必要です。

あなたがいま賃貸住まいなら、③「自分たちが住む」ことで家賃が浮きます。生まれ育った場所に友だちが大勢いる、いまの住まいより環境がいい、利便性も高い、となれば申し分なしですよね。子ども2人が相続したときは、1人が家の権利者となり（まるごと受け取り）、評価額の半分をもう1人に分割払いする方法もあるでしょう。

以上3つをまとめると、①は「売る」、②③は「売らない」。

家を相続したら、まず「売る」か「売らない」か、判断しなければいけません。

現実には多くの人が「空き家」のままにしています。

じつは、**最大の理由は「仏壇がある」からです**。だれの家にも置き場所がないし、粗大ゴミに出すわけにもいかない。でも、これは思い切るしかありません。寺や業者に相談するなどして思い切って行動してください。

土地のチカラを見きわめる

相続した実家を「売る」か、「売らない」か。

これは、実家が建つ土地の「ポテンシャル」しだいです。

いいかえれば、潜在力、隠れているがじつは持っているチカラしだい。これを見きわめ、**不動産としての価値が小さければ売る、大きければ売らずに持ちつづけるのがよいでしょう。**

「不動産の価値」はどこで判断するのか。それは、物件そのものでなく、その物件の町（立地）にあります。**「あなたはその場所に住みたいか」という基準で考えるのが簡単です。**中心地へのアクセスはどうか、駅までの距離はどうか、近くにスーパーや病院があって不自由なく生活できるか……など（137ページ「質問16」）。

近隣に雇用があるかないか、も重要です。実家のある町や村が衰退の一途をたどれば、資産価値も下がりつづけます。

もうひとつ、**不動産の価値の決め手は、自然災害リスクがあるかないか、**です。

2019年に相次いだ大型台風で、災害に対する耐性がその土地にあるかどうか、が注目されました。大地震や洪水の恐れが指摘される低地の資産価値が向上することは、この先まずないと思っていいでしょう。実家のある自治体のハザードマップをかならず確認してください。リスクがあれば売却をおすすめします。実家が地方にあるなら、早めの売却にむけて地縁・血縁を総動員してください。地場には地場の需要があります。

実家だろうと、あなたの持ち家や借家だろうと、崖の下や谷間(たにあい)に住んでは、絶対ダメ。そういう場所に住んでいる人は、売却や住み替えを検討してください。

逆に、実家の資産価値が高ければ「人に貸して収益を得る」ことを検討します。自治体からの助成金、日本政策金融公庫の融資などを活用して、水回りなどをリフォームし、「戸建て賃貸」として貸し出すのです。

一戸建ての貸家は、ほとんどの町で供給が需要に追いつかない状態です。需要が高い理由として、子育て世代は子どもの騒音を気にしなくていい、さらにペットが飼える、庭がほしいなどが挙げられます。つまり、貸し手市場であり、素人でも稼げる余地がある、ということです。アパートと違って入居期間が長いのも、戸建て賃貸のよいところです。

賃貸に出すとき、空室や賃借人の不適切な使用などトラブルが心配な人は、移住・住みかえ支援機構（ＪＴＩ）の「マイホーム借上げ制度」があります。

これは、50歳以上のマイホーム所有者からＪＴＩが家を借り上げ、子育てファミリーなどに転貸（また貸し）する仕組み。最大のメリットは、最初の入居者が決まれば以後は空室になっても最低賃料が保証されることです。戸建て、マンションは問いません。対象地域も日本全国です。築年数が古くても相談に乗ってもらえます。

建物が古ければ、思い切って「アパートに建て替える」ことも検討します。

あなたは実家周辺の事情にくわしく、どんなニーズがあるのかがわかると思います。融資は全国どこでも対応する「住宅金融支援機構」に相談してください。実家の土地を相続したあなたは、立派な「地主」。**土地勘があることは、融資する側にとっては大きな判断材料になります。**

ただし、アパート経営は、あくまで「事業」です。無知は身を滅ぼします。不動産オーナーむけの情報誌『家主と地主』などを熟読し、失敗談も語ってくれる先輩大家さんの経験に基づくアドバイスなども参考にしながら、チャレンジしてください。

答え

実家を売るか、売らないかは土地のポテンシャル、不動産の価値しだい。不動産価値が高ければ、売らずに人に貸して収益を得る方法を考える。建物が古ければ、アパートへの建て替えも検討に値する。

悪い物件は、負債になる。
いい物件は、資産になる。

質問8

副業を始めるなら、「好きなことをする」、「好きなことをしない」、どっち？

仕事をリタイアしたら、それまで名の知れた大企業にいたとしても、名刺も肩書きもない「ただの人」になってしまいます。あり余る時間を過ごすことになります。

家にいても、やることがない。外に出ても、とくに行きたいところがない。それでも奥さんの手前、家でゴロゴロしているわけにもいかない。外出しなければと美術館や映画館に行き、カラオケやカフェですごす。最初のうちは楽しいが、しだいに飽きてくる。いつも消費者でしかなく、お金が出ていく一方なのもつまらない。結局、家に帰って、パソコンかテレビの前で長時間すごす。

これ、じつは不動産収入を得るようになり、銀行を早期退職した直後の私です。もう10年前近くなるでしょうか。50歳くらいでした。

サラリーマンをリタイアして都会で暮らす男性の多くも、こんな感じかもしれません。「毎日が日曜日」を体験していえることは、ただひとつ。

たいして、うれしいことではない。

当時の私は毎日ずっと、自分は何をしているときがいちばん楽しいのだろう、と考えていました。出した答えが「稼いでいるとき」です。

そこで2012年、いまさら宮仕えは嫌だと思い、東京・田園調布の商店街にカフェを開き、8年間つづけました。

コーヒー豆を焙煎し、お湯を沸かしながら豆を挽き、ドリップしたコーヒーをカップに入れてお客様にお出しする。講演やメディア出演などで知り合った人から、「人生の作戦会議」と名づけた個別相談を受け、コーヒーを楽しんでいただいたあと、代金をいただき、半地下の店内から階段を上って「ありがとうございました」と挨拶して出口までお見送りする。こんなことを不定休でつづけてきたのです。

店は赤字でしたが、全国からお呼びがかかる「お金の話」の講演料で穴埋めしていました。コーヒー店主としては失格だったかもしれません。でも、たくさんの出会いがあり、楽しい日々でした。

カフェを開いていたあいだも今も、元銀行員の不動産賃貸オーナーとして「お金を貸す側」と「お金を借りる側」両方の視点を持ち、不動産経営を実践していることこそ自分の「売れる価値」だ、と自負しています。

この価値を私は、講演、執筆、企業オーナーなどエグゼクティブの資産形成アドバイス、企業顧問といった活動を通じて、フルに活用させています。

自分の持っている、または自分のごく身近にある「売れる価値」に気づく能力――つまり、マーケット感覚は、これからますます重要になってくるでしょう。

「人が困っていること」を探せばビジネスになる

もしあなたが、自分はコーヒー大好きで人と話すのも得意。楽しそうだからカフェを開店しよう！　と思っても、ほかに収入がある場合を除いて、おすすめしません。

私がとても気になるのは、大成功している人がブログなどで「人間、好きなことだけやって生きたらいい。そうすれば、お金なんて、あとからついてくる」というようなことを盛んにいい、これに引きずられてしまう人がたくさんいることです。

そりゃ、自分が大好きな趣味の工芸を、商売にできれば幸せ。大のそば好きがそば打ちを習得し、そば屋を開ければ幸せ。興味があって猛勉強してとった資格が、ビジネスにつながれば幸せ。でも、みなさん、ことごとく失敗しています。

実際、自分は「これが大好きだから」、または「この資格をとったから」、「ビジネスにして、人生第2のキャッシュポイントをつくりたいんです。どうすればいいですか？」と相談にくる人が、とても多いのです。

好きなことや得意なことが即、収入に結びつくはずがない、と私は思います。

お金とは、誰かが「困っていること」を解決したときに受け取る対価だと思っています。

これが基本です。自分は何が好きで何が得意かなんて後まわし。まわりの人がどんなことに困っているか、アンテナを立ててリサーチする。御用聞きをするほうが先。困っていることがわかったら、さらに深掘りして解決方法を見つける。実際に解決すれば、対価としてお金が入ってきます。このとき、自分が好きなことや得意なことで解決できれば幸せですよね。新しいアイデアもばんばん生まれ、より大きなビジネスになりやすいわけです。

この順序を間違えてはダメ。好みや得意から出発して、今後の人生を組み立てようとすれば、必ず失敗してしまいます。

自分に自信がある40～50代と、退職金がある60代前半が危ない！

とくに40～50代で、仕事がうまくいっていて、家庭も順調、というような人は、「いける！」と思い込みやすいので、くれぐれも用心してください。

もうひとつは、長年立派に勤めあげ、退職金を受け取った直後の60代前半。

退職金は500万円の人も、2000万円の人も、大企業なら5000万円の人もいるでしょう。いずれにせよ、**30～35年も働いたごほうびに、まとまったお金をもらって気が大きくなっています。興奮状態とすら、いえるかもしれません。**

奥さんと豪勢な世界旅行に出かけたり、何百万円もかけて家をリフォームしたり。

そこに金融機関が「現金を寝かしておくなんて」と「ご案内」攻勢をかける。実際に私が銀行員時代にしていたことです。そして、投資信託や株式といったリスク商品にお金を振り向けてしまう人もいます。

なかには「このビジネスならやれる！」と、退職金の大半を注ぎ込み、起業してしまう人もいるでしょう。そこで声を大にして申し上げたい。

「ちょっと待った！　退職金は1年間ほったらかしにしなさい」

熟考のうえ準備に準備を重ねれば、次のような生き方はあるかもしれません。参考として、そう私が思う事例を紹介します。副業ならぬ「複業」の時代ですね。

○営業の人材不足に悩む地方企業に転職。自分の広い人脈を活かして、東京の営業アドバイザーとして顧問契約先を開拓する。

○ＩＴ企業にいた人が、アナログな自営業者のためのサポート事業を起こす。

○２０１８年１月の「改正通訳案内士」制度で、資格がない人でも、有償で通訳案内業務ができるように。そこで外国からの観光客相手にガイドビジネスを始める。

○独立した子どもが使っていた2階の空き部屋で、外国人旅行客の民泊を始める。オプションで着付け・書道などを体験してもらい、客単価を上げる。
○ライティング能力を活かし、お年寄りを対象に、自伝作成サポート業をする。
○空き家を改装して、コスプレファンのための撮影スタジオを開業。
○空き家を利用して、共働き夫婦の子ども専用のアフタースクール塾を始める。
○キャンピングカーを購入。平日はインバウンド（訪日旅行）の外国人、土日はファミリー層を対象にレンタルする。
○妻の田舎に移住し、新規就農助成を受けて農業。副業でWebコンサルも。妻も地縁血縁を総動員し、いい就職先を見つけて稼ぐ。

答え

元気なうちは働いて稼ぐ。自分の好みや得意に従うより、誰かが困っていることを探すほうが先。自信過剰に注意。焦りも禁物。退職金はしばらく寝かせておこう。

第2章

仲よく幸せにお金が貯まる「親子」は、どっち？

「お金のことを考える」ことは、
「家族のことを考える」ことです。

質問9

子は親の資産内容を「知っておくべき」か、「知らなくてよい」か、どっち？

「オヤジは、生命保険をいくらかけているの？」

「生命保険？　縁起でもないこと聞くな！　オレはまだまだ死なないぞ！」


私の50代の友人が、父親に質問したら、すごい剣幕で怒られてしまったそうです。

子どもとは「お金の話をするものではない」と考えている親は大勢います。

保険、貯蓄、株式や投資信託、自宅がいくらで売れそうか不動産会社に聞いた額など、お金にかかわるすべての話を「あえて」子どもに伝えないようにしています。

私も息子2人の「親」ですから、気持ちはわかります。

子どもにお金の心配など、かけたくありませんね。まして株式投資で損が出たなんて、知られたくもない。お金があったらあったで、それを子どもたちが「アテ」にしすぎては、教育上よくない。だから「内緒」にしておく。これもわかります。

子どもに自分の資産内容を「教えない」理由は、さまざまです。でも、これこそが問題だ、と私は考えています。結論を先にいってしまいましょう。

「家族を豊かにする」ためには、親は子どもに、自分の資産内容をオープンにすべきです。これは、お金のあるなしに、かかわらずです。

子どもに「教えない」と、どうなる？

いまあなたが健康でも、先のことはわかりません。交通事故にあうか、病気で入院するか。収入が途絶えて、子どもの助けが必要になるかもしれません。

そんなとき、あなたの経済状態を子どもがまったく知らなければ、どんな病院で、どんな治療を受けさせることができるかすら、見当がつかないでしょう。

あなたが亡くなったあとで借金があるとわかったら、子どもには大問題です。

「借金なんてない！」というかもしれません。でも、本当にそうですか？

住宅ローンは？　車のローンは？　教育ローンは？

細かいことをいえば、スマホの分割ローンだって借金です。

これから支払いが発生する「負債」があれば、あなたに何かあったとき、子どもがそれを「引き継ぐ」のです。その金額が大きく、さらにあなたの医療・介護費や葬式代などが加われば、子どもの生活は「破綻」するかもしれません。

あえて縁起の悪い話をしましたが、銀行員時代に私は、こうして「破綻」に追い込まれた家族をたくさん見てきました。

どのケースも、親に「危機管理」の意識がなさすぎました。

親にお金が「なければ、ないなりに」、子どもは年をとってきた親をどう支えるか考えなければなりません。

資産が「あったら、あったで」たいへんです。親が亡くなってから、親の土地が何か所かあるとわかった知人がいます。しかし、どれもほとんど価値のない土地で買い手がつかず、いまだに放置したまま、毎年の固定資産税を払いつづけています。

これでは、資産というより負債ですね。親が生きているうちに、土地の資産価値を正確に子どもに伝えていれば、こんなことにはならなかったでしょう。

兄弟姉妹が、相続をめぐって骨肉の争いをしてしまう。じつはこれ、「親」の責任です。生前、自分の資産をオープンにして、「オレはこう考えている」と子どもたちにちゃんと伝えておけば、争いを回避できたケースがたくさんあります。

お金の話などしたくないと思っても、自分の資産内容を子どもにしっかり伝えることが、親の責任です。これが「家族を豊かにする」ことにつながるのです。

まず、自分の資産内容をきちんと知っておく

自分の「資産内容」をちゃんとわかっていなければ、子どもに伝えようがありません。あたりまえですが、これ、きちんと把握している人が意外と少ないんです。

まず、自分の「資産」の状況をしっかり知りましょう。**資産には、現金、預金、株式、投資信託などの「金融資産」と、土地や家屋など「不動産資産」があります。**

預貯金の総額がわからない人、すぐ銀行で記帳しましょう。

株式や投資信託の時価（現在の市場価格）がわからない人、すぐインターネットで相場を見るか、販売会社（証券会社や銀行）に問い合わせましょう。

自宅の不動産価値がわからない人は、すぐ不動産会社に聞きましょう。

毎月の生活費がいくらなのか、さっぱりわからないご主人は、すぐに奥さんに教え

てもらいましょう。

もうひとつ調べてください。**「負債」、つまり借金は、いくらですか？**　住宅や車のローンは、いくら残っていますか？　短期の少額ローンをもれなく数えましたか？

「資産」と「負債」がわかったら、資産から負債を引き算します。

資産－(マイナス)負債＝純資産

あなたの頭の中では、資産と負債のさまざまな項目がうずまき、カタカタと電卓が叩かれているのでは？　さて、あなたの「純資産」はいくらでしたか？

純資産の額がわかれば、これから自分に「なにが必要か」が見えてきます。子どもに「なにを残せるか」「なにを残せないか」もわかります。

これは繰り返しお話ししているB／S（バランスシート）の考え方ですね。

巻末に「あなたの資産がわかる！　バランスシート」をつけました（252ページ「特別付録2」）。実際に空欄をうめてみましょう。

将来、子どもに面倒を見てもらわなければならないかもしれません。施設に入るにせよ、自宅で介護してもらうにせよ、なにかしら子どもに負担をかけます。

でも、年に数回しか連絡してこないような子どもだったら、アテにできるかどうか心配でしょう。ならば、自分の経済状態を子どもに伝え、「いざとなったら頼むよ」と話しておくべきです。

子どもに遠慮して伝えないのは、かえって子どもに迷惑をかけてしまいます。**子どもは「突然」お金が必要になるのが、いちばん困ります。**家族を思うなら、自分の経済状態をきちんと把握し、今後の希望や不安を整理して、子どもに伝えてください。

自分の純資産を把握し、子どもに伝えよう!

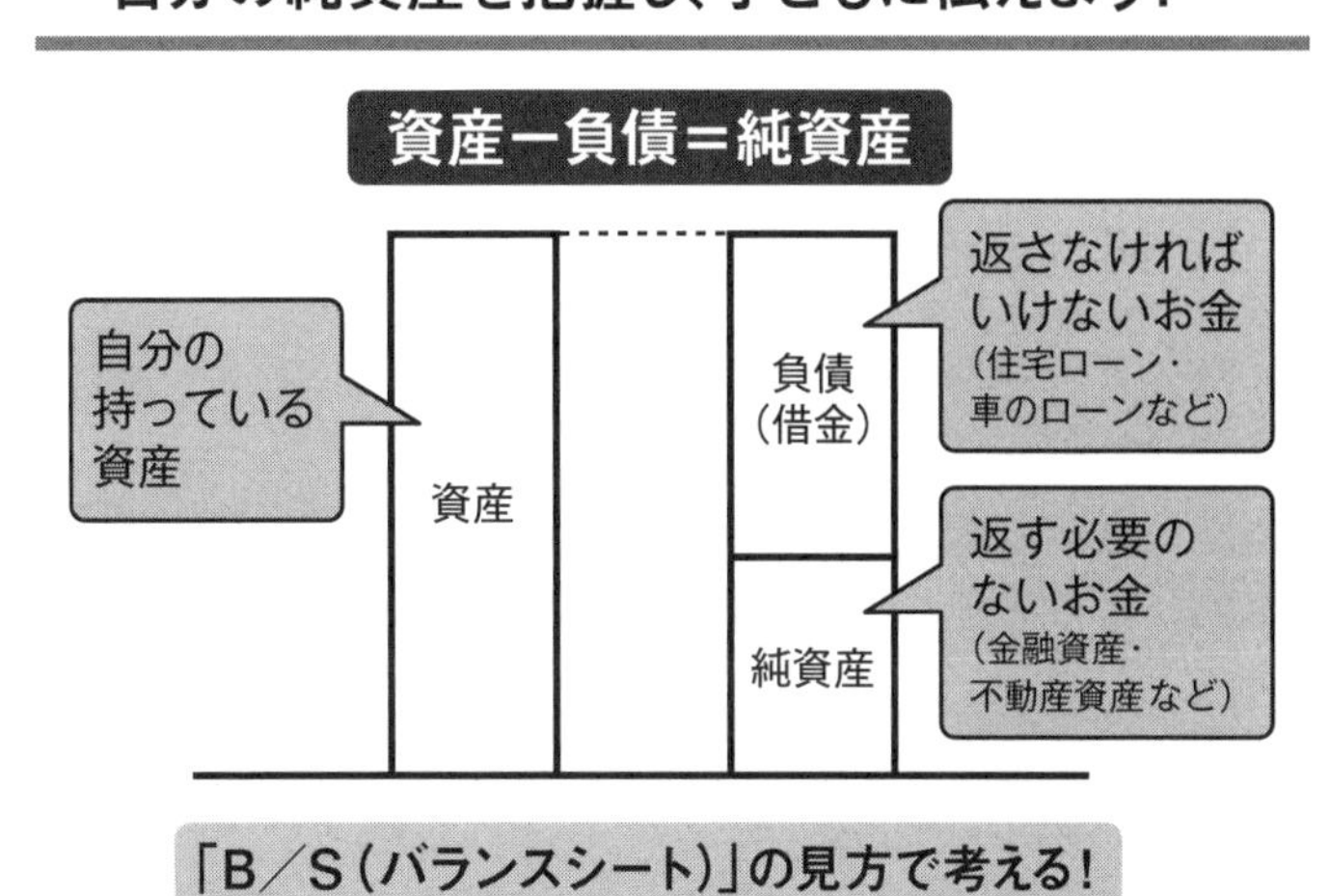

狙われている親の金融資産を守るのは、子どもの役割だ

ここまで「親」の立場をお話ししましたが、あなたが親を持つ「子」ならば、親の経済状態を把握することは、あなたの役割であり責任です。

日本の個人金融資産の大半は、高齢者が持っています。あなたの「親」が持っているかもしれません。この**金融資産を「狙う」詐欺事件が頻発しています。**単純なオレオレ詐欺から、電話で何人もが入れ替わり立ち替わり店員、役所や銀行関係者、弁護士などを演じる複雑なものになって、カード預かり詐欺や還付金詐欺も横行しています。最近は、アポ電強盗のニュースも耳にします。

また、「狙う」というと怒られるかもしれませんが、金融機関、とくに銀行は、金融資産からなんとか収益を得ようと、熱心に誘いをかけてきます。

銀行は、あなたの親の貯蓄がいくらか、退職金がいつ、いくら入ったか、口座から一発でわかります。そんな「まとまったお金」を見過ごすはずがありません。

お金の一部を投資信託で運用しませんか、と銀行から「ご案内」がきます。株式投資、金（ゴールド）、ＦＸ（外国為替証拠金取引）をすすめる会社もあるでしょう。

「子」であるあなたは、危機感を持たなければいけません。たまにしか電話しない**あなたに代わって「販売のプロ」が、何時間も親の相談に乗っているかもしれないのです。**

財産を「アテ」にしていると思われたらイヤかもしれませんが、子は、親の経済状態や資産内容などをきちんと把握し、親の資産を彼らから「守る」必要があります。親の資産が狙われ、減ってしまってからでは、あとの祭りなのです。

答え

親は子どもに自分の資産内容を伝えるべき。資産と負債を調べて「純資産」を把握する。自分にはどんな不安があるか、今後どうしたいのかも、話してみよう。親の資産を把握して守るのは、子の役割。

親との電話を予定表に入れなさい。

質問 10

エンディングノートは「若いうちに書く」か、「死に際に書く」か、どっち？

自分の経済状態や今後やりたいことを、子どもにどう伝えるか。とっておきの方法をお教えしましょう。「エンディングノート」の活用です。

エンディングノートといえば、人生を終えるときに備えて高齢者が書くもの、というイメージをお持ちかもしれません。しかし、まだまだ若いうちに活用したっていいんです。私だって50歳くらいから、積極的に活用しています。

書店や文具店にいくと、さまざまな種類のエンディングノートがおいてあります。気に入ったものを1冊買ってきます（1000円前後でしょう）。

どこから書いてもかまいませんが、**「預金」「保険」「不動産」など資産を書きこむ欄がありますから、ここに現状の金額を記入しましょう。**

病気や、介護が必要になったときの対応、葬儀の希望などを書くページは、夫婦で話し合ってもよいですし、「自分の考えを整理する」ためにとても役立ちます。

ひととおり記入できたら、子どもに実際に見せながら説明してください。

子どもにとって親の預金額、保険の中身、不動産の価値などは、根ほり葉ほり聞きにくいもの。といって「資産の総額」だけを教えられても、内訳がわからなければ、将来に備えたくても準備すらできません。遠方に山が3つあって合わせて1000万円と、預貯金1000万円は、まったく別ものですから。

こうしてエンディングノートを使って、親が子に細かい話を伝えていくわけです。自分史や家系図を書くページもあるので、人生を振り返りながら、楽しんで書いてください。資産内容が変わったら、そのつど書き直しましょう。

誕生日に家族みんなでおいしいものを食べ、夜はお酒を飲みながらエンディングノートの変更点を発表することを、毎年の習慣にしてもいいでしょう。

子どもこそ、エンディングノートを書くべき！

ここまで「親」がエンディングノートを書く話をしてきましたが、じつは私は「子ども」こそエンディングノートを積極的に活用してほしいと思っています。

「親が資産を、いくら持っているかわからない」

これは、子どもの大きな悩みです。

自分の妻や夫、成長していく子ども、高齢になっていく親を支えるために、親の経済状態を知っておきたいと、多くの「子ども」が思っています。

そこで、まず子どもがみずからエンディングノートを書き、「資産」や「考えていること」をまとめ、親に見せるのです。そして、これをきっかけとして親にエンディングノートを書いてもらいます。こうして親の資産の内容を把握した知人が何人もいます。

あなたが40歳前後なら、ご両親は60歳代後半でしょうか。50歳ならば、70代後半くらいでしょうか。ご両親がもっと高齢の人もいるでしょう。

いずれにせよ、あなたが、いきなり「オヤジ、ちょっとエンディングノート書いてよ」なんていったら、親は不信感を持つだけ。

「いくらの保険に入っているの？」と聞くのと同じで、怒鳴られかねません。

だから、**まず子どもからエンディングノートを書くのです。**

「オレももう50だよ。いつどうなるかわからない。最近、同級生が亡くなったんで、エンディングノートを書いてみたんだ。読んでみて」と、親に見せます。

自分の子がエンディングノートを書いてきたら、親は「えっ！　まだ若いこいつが書いたのか」と、かならずギョッとしますよ。そして、「しょうがない。オレも書くとするか」という気持ちになるのではないでしょうか。

子どもが自分の誕生日に、エンディングノートを親に見せ、「オレも、もうこんなものを書く歳になっちゃったんだよ。これまで育ててくれてありがとう」といえば、喜ばない親はいないでしょう。

しばらくしたら「オヤジも書いてみる?」と、さりげなくエンディングノートをわたして、2〜3か月ほうっておけばいい。面倒なのか、親がペンをとろうとしなかったら、「手伝ってあげるよ。まず、自分史のところはどう?」と、申し出る。

「資産」の項目は後まわしにして、まずは親のヒストリーを聞いてください。新聞記者になったつもりで取材する。話を聞いて、それを記入していくわけですね。

じつはこれ、最高の親孝行なのです。親からすれば、自分の過去——輝かしい思い出や苦労話を子どもに聞いてもらえるのは、とてもうれしいことです。**子どもにとっても、意外と知らなかった親のライフストーリーがわかって、とてもおもしろい。**親が子育ての苦労話をし、子どもが幼いころ親の背中をどんな思いで見ていたか思い出し、親子のきずなが改めて深まるかもしれません。

その結果として、**親の経済状態もわかれば、一石何鳥になるかわかりません。**家族みんなのためになる今後の準備や対策も、しっかりできるはず。

「親」も「子」も、エンディングノートを積極的に活用して、よりよいコミュニケーションをはかってください。

答え

エンディングノートは若いうちから書く。親も子も書いて互いに見せ合う。資産内容をオープンにするきっかけになり、将来のための準備も万全になる。

質問 11

親に借金の「相談をする」か、「相談をしない」か、親から信頼されるのは、どっち？

さきほど「エンディングノート」が親の資産を把握するツールになることをお話ししました。ここでは、もうひとつ、活用してほしいツールをご紹介しましょう。

それは**「ライフプラン表」**です。家族の夢を実現するため、家族の将来にわたる資金計画をしっかり立てるために、かならずつくってほしいのです。

具体的には、「２０２１年に長男が私立中学校入学〇万円、同じ年に海外旅行に行きたいから〇万円、２０２４年に車の購入費〇万円、２０２７年に長男の大学進学で〇万円、２０３９年には定年だから退職金がたぶん〇万円、その後の年金と生活費〇万円」というように、家族の年齢ごとのライフイベントを書き出し、「収入」と「支出」の予定額を書き込んでいきます。

すると、いつ、いくら必要になるか、わかります。**自分の夢を実現するためには、いつまでに、いくら貯めなければいけないかも、見えてきます。**

現在から将来に連なるライフプランを立てるとき肝心なのは、まず「ゴールを決める」ということです。

あたりまえの話ですが、貯金というのは、将来使うときのために、若いうちからお金を貯めるのです。ただお金を貯めるだけでは、なんの意味もない。3000万円貯めようが3億円貯めようが、墓場や天国に持っていけるわけではありませんから。

ところが、あたりまえの話なのに、3000万円あるいは5000万円残して亡くなりましたという人が、本当に多いんです。

これは、銀行員のとき呆れるほど見ました。古い家をリフォームするでもない。旅行に出かけたり、おいしいものを食べにいったりもしない。財産をわたす子どももいない。それでも一生懸命、貯金だけは増やしている。

そうではなく、ライフプランには、まずゴールを決めることが必要です。

たとえば、「将来、子どもの世話にならずに人生を終える」というゴールだとしたら、80歳になったら老人施設に入るかという話になるでしょう。

調べると夫婦で入居費1000万円。毎月の費用が20万円。年金が月10万なら、10年間で2200万円くらい必要と計算できる。

すると、いま60歳で貯金が1000万円あるから、20年で1200万円貯めなくてはならない。どうするか、というように資金計画を立てるのです。

親に自分たちのライフプラン表を見せる

まだ30～40歳のあなたには、老人ホームの話まではちょっと考えられませんね。だったら定年後こうしたいという「節目のゴール」までのライフプランでもいい。そのゴールが、会社の経験を活かして事業を起こすのか、ボランティアに打ち込むのか、田舎暮らしなのかくらいは、漠然とでも決めておくわけです。

そして、このライフプラン表を、まだ元気な両親に見せるのです。

これには当然、**現在の資産内容も、5年以内にマイホームを買うために頭金がいくら必要かも、子どもの教育資金の必要額も書いてあります。**

もし私が息子にこれを見せられたら、「こいつ、家族のことをしっかり考えているんだな」と感心するでしょう。

ライフプランは、企業が銀行に融資を頼むときの「事業計画書」に似ています。

「フレンチの店をオープンしたい。一流シェフを雇う予定なので、開店資金1000万円を貸してくれませんか?」

こういわれても、銀行はお金を貸しません。

「1年後、港区○○にフレンチの店をオープンしたい。席数○席。ディナーのお客さんが○回転すれば、売り上げは月○万円。人件費・経費・光熱費の合計は○万円。これに対して月の純利益○万円を想定しています。開店資金で1000万円貸してくだされば、金利分合わせて月々○万円ずつ返済できます。2年間で軌道にのせて支店を増やしていくつもりです。○○ホテルで料理長をつとめた超一流シェフが来てくれることが決まっていて、女性のお客さんにもPRしやすいんです」

こう「数字」で説明されれば、「具体的に計画している」と伝わってきますから、銀行は融資に前向きになるものです。これこそが「信用」です。

親に対しても同じです。親だからと甘えて「いざとなれば500万円くらい出して

2031	2032	2033	2034	2035	2036	2037	2038	2039	2040	2041	2042	2043	2044	2045
52	53	54	55	56	57	58	59	60	61	62	63	64	65	66
													定年退職	
50	51	52	53	54	55	56	57	58	59	60	61	62	63	64
	ビーズ教室					ビーズ教室起業								
17	18	19	20	21	22	23	24	25	26	27	28	29	30	31
		大学											結婚	
14	15	16	17	18	19	20	21	22	23	24	25	26	27	28
		高校			大学									結婚
81	82	83	84	85	86	87	88	89	90	91	92	93	94	95
						米寿		卒寿						
78	79	80	81	82	83	84	85	86	87	88	89	90	91	92
	傘寿								米寿		卒寿			
					家族旅行									
500	500	500	500	550	550	550	550	550	450	450	450	450	450	0
100	100	100	100	100	100	100	200	240	240	240	240	240	240	240
	100			100	50								2000	20
600	**700**	**600**	**600**	**750**	**700**	**650**	**750**	**790**	**690**	**690**	**690**	**690**	**2690**	**260**
180	150	150	150	150	120	120	120	120	120	120	120	120	120	120
130	300	180	180	300	100	100	100							
120	120	120	120	120	120	120	120	120	120	120	120	120	120	120
30	30	30	30	30	24	24	24	18	18	18	18	18	18	18
60	60	60	60	60	110	260	60	60	60	60	60	60	160	160
520	**660**	**540**	**540**	**660**	**474**	**624**	**424**	**318**	**318**	**318**	**318**	**318**	**418**	**418**
80	**40**	**60**	**60**	**90**	**226**	**26**	**326**	**472**	**372**	**372**	**372**	**372**	**2272**	**-158**

●本書のご感想、菅井敏之に聞いてみたいお金に関する質問を
お聞かせください。

ご協力ありがとうございました

郵便はがき

105-0003

（受取人）
東京都港区西新橋2-23-1
3東洋海事ビル
（株）アスコム

一生お金に困らない！
新・お金が貯まるのは、どっち!?

読者　係

本書をお買いあげいただき、誠にありがとうございました。お手数ですが、
今後の出版の参考のため各項目にご記入のうえ、弊社までご返送下さい。

お名前	男・女	才
ご住所　〒		
Tel	E-mail	
この本の満足度は何％ですか？		％

今後、菅井敏之の無料お金相談情報、公式 YouTube 動画更新情報、メディア出演情報、
などのご案内を E-mail にて送付させていただいてもよろしいでしょうか？
E-mail アドレスのご記入をお願いいたします。　□はい　□いいえ

返送いただいた方の中から**抽選で5名**の方に
図書カード5000円分をプレゼントさせていただきます。

当選の発表はプレゼント商品の発送をもって代えさせていただきます。
※ご記入いただいた個人情報はプレゼントの発送以外に利用することはありません。
※本書へのご意見・ご感想 およびその要旨に関しては、本書の広告などに文面を掲載させていただく場合がございます。

「夫婦と子ども2人+親のライフプラン表」の例

		2020	2021	2022	2023	2024	2025	2026	2027	2028	2029	2030
夫	歳	41	42	43	44	45	46	47	48	49	50	51
	イベント										車購入	
妻	歳	39	40	41	42	43	44	45	46	47	48	49
	イベント											←
長男	歳	6	7	8	9	10	11	12	13	14	15	16
	イベント	←		小学校			→	←	中学校	→	←	高校
長女	歳	3	4	5	6	7	8	9	10	11	12	13
	イベント	←	保育園	→	←			小学校		→	←	中学校
おじいちゃん	歳	70	71	72	73	74	75	76	77	78	79	80
	イベント				ヨーロッパ旅行			喜寿			傘寿	
おばあちゃん	歳	67	68	69	70	71	72	73	74	75	76	77
	イベント				ヨーロッパ旅行						喜寿	
家族のイベント				マイホーム購入				家族旅行				
収入(万円)	夫給料	450	450	450	450	450	500	500	500	500	500	500
	妻給料							100	100	100	100	100
	その他			300				50				
	収入合計	450	450	750	450	450	500	650	600	600	600	600
支出(万円)	生活費	180	180	180	180	180	180	180	180	180	180	180
	教育費							100	50	50	150	130
	住宅費	120	120	500	120	120	120	120	120	120	120	120
	保険料	24	24	30	30	30	30	30	30	30	30	30
	その他	60	60	60	60	60	60	110	60	60	160	60
	支出合計	384	384	770	390	390	390	540	440	440	640	520
年間収支		66	66	-20	60	60	110	110	160	160	-40	80

くれるだろう」なんて思っていてはダメ。

親から援助を受ける必要があるならば、いわば「親を『金融機関』と考えて」、自分たち家族の事業計画書（ライフプラン）をきちんと提出し、「正直、10年後にピンチを迎えそうだから、５００万円くらい援助してほしい」というべきです。

旅行や年祝いなど、親のライフプランも書き込もう

さて、ここからが大切です。あなたたち夫婦と子どものライフプランだけでなく、「親のライフプラン」も同じ表の中に記入していくのです。これこそ、「親のことを大事に思っている」という強いメッセージになります。

親は、とてもうれしいはずです。自分と、子どもと、孫。

そこに**一体感が生まれ、自分も家族の一員であると再認識できます**から。

年をとると、みんな未来の話をしたいものです。まわりに隣近所の人、老人クラブの仲間、ヘルパーさんなどがいても、そんな話はできません。

たとえば年祝い（古希・喜寿・傘寿・米寿・卒寿など）をどこで、誰を呼んで、どんな料理でやろうか。いつごろ、どこに家族旅行をしようか。そんな**親を主人公にする計画を立てて、ライフプラン表に書き込むのです。**「家族でハワイに行きたいね」という話になれば、その費用、たとえば50万円を書き込み、積み立てや分担をどうするかも話し合う。この家族会議を、お正月の恒例行事にしてもいいと思います。

「親が70歳……ハワイ家族旅行」
「親が88歳……○○ホテルで米寿のお祝い会を開く」

このように**ライフプラン表に書き込んで、親と共有すれば、親も「よし、まだまだがんばるぞ！」と元気が出てくるはずです。**

私は父が亡くなる前、こうして計画を立て、「最後に行きたい」という特攻隊基地があった鹿児島の知覧に連れていきました。とても喜んでくれました。親は子どもが自分のために計画し、段取りしてくれることが、なによりうれしいんです。

忘れてはいけない大事なことは、親にはマメに連絡を取ること。遠方でなければ、マメに顔を出すことです。

私は、毎週土曜日の朝8時に親に電話すると決めて、ずっと習慣にしていました。「元気?」と確かめたあと、だいたい旅行の話になって「箱根と決めたんだけど、やっぱり房総のほうにしようか」と、よく話していました。先週と同じような話ですが、それが結局、親とのきずなを保ち、円満な家族をつくっていきます。

地に足のついたライフプランと信頼関係があれば、なんでも親に話せるはずです。

答え

ゴールを決めて「ライフプラン表」をつくり、親に見せる。これは企業が銀行に出す事業計画書と同じ。具体的で着実なプランを立て援助の相談をすればよい。表には親のプランも書き込み、家族全員で「未来」を考える。これぞ親孝行。

質問 12

遺産は「面倒を見てくれた子」に手厚くするか、「全員均等」にするか、どっち？

高齢になってくると「遺産相続」を考える必要があります。子どもがひとりなら問題ありませんが、何人かいると、どうやって分けるか思案のしどころです。

子どもたち兄弟姉妹が、自分の「取り分」をめぐって争う。親にとって、これほど情けないことはなく、そんな場面は絶対に見たくありません。

銀行員時代、相続人の兄弟姉妹が遺産をめぐって争う場面を何度も目にしました。ご両親のことを思い、毎回いたたまれない気持ちになったのを覚えています。

第1章では、遺産を現金でなく不動産に変え、生前贈与するメリットをお伝えしました（41ページ「質問4」）。それでもご家庭により、子どもには現金で残したいという人もいらっしゃると思います。

たとえば、父親の賃貸マンションの近くに住む「姉」（子どもなし）と、遠くに離れて暮らす「弟」（子ども3人）のケースを考えてみましょう。

母親はすでに他界しているとします。父親は病気がちなので、近くに住む姉が週に3回、車で病院への送り迎えをしている。やがて介護が必要になり、姉はさらに長い時間、父親の世話をせざるをえなくなります。

離れて暮らす弟は、姉に父親の世話を任せっきり。正月休みだけは家族を連れて顔を出すものの、「姉さん、よろしく」といってすぐ帰ってしまう。そうこうするうち父親が亡くなります。父親が残した金融資産は３０００万円ほどでした。

相続人は姉と弟の２人。あなたが「姉」の立場なら、どう考えますか？

「ずっと父の面倒を見てきたのは私なんだから、弟よりたくさんもらうのがあたりまえ」。そんな気持ちになって当然ですよね。

「弟」は、姉の気持ちを察しながらも、「でも、うちには子どもが３人いて、すごく金がかかるんだよ」と思っているかもしれません。

法律上は弟も「２分の１」を受け取る権利があります。

「法律的には、取り分は2分の1ずつだね。それでいこう」

「なにいってんの。誰が父さんの下の世話までやったと思ってんのよ!!」

こうして、姉弟で血みどろの相続争いが勃発します。感情的には姉に味方したくなりますが、法律的には弟の言い分どおりですから、なかなか難しい状況です。

「子ども」同士の相続争いは「親」の責任である

では、どうすれば、姉と弟は争わずにすむでしょうか？

親（このケースでは父親）は、**将来子どもたちの争いが起こらないように、生きているうちから「対策」をとっておくべきです。**

父親は「面倒を見てくれている娘にちゃんとお礼したい」と思う一方、「子どもが3人いる息子も助けてやりたい」という気持ちもあるでしょう。

そこで、**娘が自分の面倒を見てくれた分は「そのつど」支払うようにするのです。**

たとえば、病院の送り迎えをしてくれたら「ガソリン代として5000円」、または「医療費＋付き添い代として1万円」。介護については「介護用品代として月に2万円」。もちろんこれらは、実際にかかる経費より多い金額です。

すなわち、こうしたお金を「遺産の前払い」として払うのです。ただし、法律的には「特別受益」といって、姉が相続するとき、この分を減額されてしまいます。

これでは、姉は納得できないでしょう。そこで**親は、遺言書で「相続の際、特別受益を考慮してはならない」と意思表示をしておくのです。**こうすれば、「姉への前払い分を除いた額」の2分の1ずつという相続が認められる可能性が高まります（くわしくは、かならず弁護士に確認してください）。

さらに重要なのは、これらをすべて「記録」し、弟にも開示すること。たとえばある正月、父親が娘と息子に「こんな方針でいく」「娘のしてくれる何にいくら、そのつど払うつもりだ」と話し、納得させます。娘は「父さんは自分のことを考えてくれている」と思い、息子も「姉さんが面倒見ているんだから当然だ」と思うはずです。

記録ノートは見えるところにおき、正月に来る息子も読めるようにします。

父親は、お金の支払いはじめ、血圧や体温、来客のこと、テレビを見た感想、買ってきてほしいもののメモなど、なんでもかんでもノートに書けばいい。姉は来訪のたびにチェックし、赤ペンで「○○さん来てくれてよかったね」「お風呂の電気、消し忘れご注意！」などと書き込む。たまっている領収証も貼り付けるわけですね。

こうしておいて、自分の遺産は、姉と弟で「2分の1ずつ」と決めます。

父親の金融資産3000万円が、娘の付き添い代や介護用品代で300万円減り、2700万円になったなら、「1350万円ずつ」相続させるのです。こうすれば、子どもたちは納得し、もめごとは起こらないでしょう。

ポイントは、医療や介護記録をきちんとつけ、面倒見てくれた姉に、そのつど「遺産の前払い」としてこづかいをわたすことと、弟にもオープンにすることです。

私が受けるお金の相談で、とても数が多いのは、こうした相続問題、兄弟姉妹の問題です。相続が始まってしまった段階では、たいてい手遅れ。弁護士が入ってなんとか解決しても、以後子どもたちは行き来もしない、という結果になりがちです。

やはり、親が元気なうちから、子どもたち同士のしっかりとした信頼関係をつくっておかなければ、うまくいきません。

ライフプランのところで親を旅行に連れていく話をしましたが、兄弟姉妹でその相談をして、みんなでにぎやかに親子旅行にいくのもいいかもしれませんね。

答え

自分の面倒を見てくれる子どもには「そのつど」支払いをする。ほかの兄弟姉妹にもそのことを開示。いざ相続のときは残りを「均等」に分ける。記録ノートがとても重要。

稼ぐことのできる人は、
小さいことでも行動に移す。
稼ぐことのできない人は、
一発逆転をねらって、何も行動しない。

質問13

親と子は「同じ銀行」にするか、「異なる銀行」にするか、どっち？

口座を開くならここ、と**私がおすすめする金融機関は、まず信用金庫。それが近くになければ地方銀行です**（211ページ「質問23」）。

そこでコツコツ「信用」を積み立てる準備が整ったら、次に「親」が考えるべきは、「子ども」にも、同じ信用金庫に口座をつくらせることです。

あなたのまわりに、地元で商売している友人知人がいませんか？　その人は、地域に密着した銀行からお金を借りている可能性が高いはずです。地方銀行やＪＡバンクからかもしれませんが、ここでは仮に「Ｘ信用金庫」から借りているとしましょう。

その人は、Ｘ信用金庫に口座をつくって担当者とつきあい、信用を積み重ね、お金を借りています。**つきあいが長ければ長いほど、彼の「貯金」だけでなく、彼の「信用」も積み立てられているはずです。**

このとき、彼のお子さんは、どの銀行に口座をつくるべきでしょうか？

そう。いうまでもなく、親と同じＸ信用金庫です。すると親の信用をそのまま「引き継ぐ」ことができます。お子さんが成人したばかりで、ほとんど預金がなかったとしても、親の信用はお子さんの信用につながります。銀行は、どこのだれかわからない人よりも、「あ、○○さんの息子さんですか」とわかる人を、圧倒的に大切にしてくれます。「つながり」を大切にする信用金庫ならば、なおさらです。

商売をしている人にかぎらず、あなたが退職金2000万円を受け取って信用金庫に預ける場合も同じです。銀行は「家族合算ベース」で信用を判断します。

子どもが親の銀行に口座をつくれば、子どもはあなたの「2000万円の預金」という信用を得ることになります。 子どもがお金を借りるとき、一般よりも「低い金利」を提示してくれるかもしれません。

マンションを買いたい息子が、銀行に住宅ローンを申請したが、収入が足りず、審査がきびしいとします。このとき親が戸建ての家を持っていれば、銀行は「ご両親の資産を担保に入れてほしい」とお願いするかもしれません。でも、親子で同じ銀行なら、親の信用を見て「資産背景は充分」と判断し、審査が通る場合もあります。

銀行がある会社に融資するかどうか判断するときは、親会社－子会社など関連会社全体を連結ベースで見て審査します。融資した会社が黒字だったとしても、関連会社が赤字だったら、融資したお金がそこに垂れ流しになってしまうことを心配するからですね。そういうお金の流れにとても敏感な銀行員は、企業グループでも家族でも、同じ考え方をするわけです。

資産家の多くは、子どもが小さいうちから自分の銀行に子どもの口座をつくり、そこに積み立てをしながら、自分と子ども両方の信用を積み重ねていきます。

子どもがある程度の年齢になったら、銀行の担当者に紹介し、「よろしくお願いします」とあいさつします。こうして、銀行とよい関係を築くやり方を子どもに教え込む。これが、資産家のお金教育の基礎なのです。まさに連結の発想です。

「狙われている」親の金融資産を守ることができる

親子で銀行を同じにしておくことは、銀行が親と子の資産を連結ベースで見やすくして、親子トータルでの信用を大きくできる。すると、家を買う、新しい事業を起こす、定年後に店を開くなど、何をするにも銀行からお金を借りやすいのです。

ところが、親子で銀行を同じにするメリットは、これだけではありません。

「子どもが親の財産を守る」うえでも、とても効果的な方法なのです。

銀行員になったつもりで、ちょっと想像してみてください。ある親子がそろってあなたの顧客だとすれば、親御さんに投資信託をすすめるとき、息子さんの顔がちらつくでしょう。この投信で大きな損を出してしまったら、ご本人はもちろん、息子さんに怒られるかもしれない……。こう思うのが人間の心理です。**銀行を同じにするだけで、金融機関の営業や売り込みを慎重にさせる効果があります。**

子どもとしては、親に「○○なんか手を出しちゃ、絶対にダメだよ！」と強くいってはダメ。親はかえって身構え、「この子には相談できない」と心を閉ざしてしまいます。やさしく「最近、オレも資産運用の勉強をしてるんだ。金融機関はけっこう高齢者の財産を狙っているようだから、なんでもオレに相談してよ」と話しましょう。

同時に銀行にも、**「うちの父も年だから、なにかあったら、僕にもひとこと教えて**

ください ね」と伝えておきます。これだけで充分で、銀行にとってもありがたい話。あとあとのトラブル回避につながるからです。

銀行は70歳以上のお客さんと契約するときは家族の同席を求める決まりになっていますが、子どもが忙しかったり遠方だったりして、やむなく同席なしで契約することもあります。これで損が出ると、「高齢だからって、うちの親になんてことをしてくれた！」と子どもが怒鳴り込んでくることが多いんです。親子が同じ銀行ならば、こんなことは起こりにくいはずですから。

答え

親子で同じ銀行に口座を開けば、資産を「連結」でき、それだけ信用が大きくなる。子どもから事前に銀行担当者にクギを刺すことで、金融商品トラブルを回避できる。

質問14

親子の財産、切り離して「別々に」考えるか、「連結させて」考えるか、どっち？

これまでも、お話ししたように、ビジネスには「連結決算」という考え方がありま す。親会社だけでなく、子会社や関連会社の会計を足し合わせて決算することです。

ところが、この連結決算、昔は義務ではありませんでした。すると大赤字でアップ アップのグループ会社があっても、なかなか表沙汰になりません。いまは義務づけら れ、連結決算のほうが単独決算よりも重要だ、という話になっています。

この**「連結」の考え方を、企業でなく、家族にあてはめたらどうなるでしょうか。**

例をあげましょう。60代の夫婦で、東京23区内に戸建ての家があり、住宅ローンの返 済は終わっています。ご主人は定年をすぎ、退職金などで3000万円の貯金がありま す。土地建物は5000万円くらいで売れそうですから、資産はざっと8000万円。

これくらいあれば、小さなアパートを持って不動産賃貸を始めることができ、老後 も安心できるのでは。そう考えた奥さんが銀行や不動産業者をさんざんまわって相談 しました。でも、どこも相手にしてくれません。

この奥さんがある日、私のところに見えて、「今日は『無理だからあきらめなさい』 と最後通告をしてもらいにきたんです。それであきらめがつきます」といいました。

なぜ、彼女がアパートローンを組めないか、おわかりですか？
それは、銀行が「借り入れ時年齢70歳まで」「完済時年齢80歳まで」などと決めているからです。借りる金額が数千万円と大きく、返済期間が20〜30年と長いので、62歳の彼女は、こうした制限に引っかかってしまいます。

ところが、話を聞くうち、彼女には看護師で年収400万円ほどの32歳の娘さんがいて、その娘さんと年収600万円くらいの会社員との結婚話が進んでいることがわかりました。これは願ってもないチャンス。私はこうアドバイスしました。

母と娘（親夫婦と娘夫婦）のお金を「連結」させましょう。

親子のお金を「連結」すれば、「銀行がお金を貸せる人」になる

多くの人は、自分のお金を、「キャッシュフロー」（現金の流れ）だけで考えてい

ます。年収500万円で生活費がいくら、住宅ローンがいくら、頑張ったので40万円残った（貯金した）というようにです。あなたもそうでしょう。

でも、あなたが、自分のマンションか戸建て住宅を持っているとします。たとえば、ローン返済額7万5000円×12か月というお金が毎年出ていく代わりに、価格3000万円という**財産（不動産）を持っている**わけですね。プロローグでお話ししたように、これは資産（資産総額から借金総額を差し引いた「純資産」）です。

重要なのは、自分のお金や財産を「キャッシュフロー」だけで見るのではなく、「キャッシュフロー」と「純資産」をまとめて見ることです。

このことを頭において、母と娘（親夫婦と娘夫婦）のお金や財産を「連結」させると、銀行の評価はこのように変わります。

【連結前】親夫婦＝純資産（貯金＋持ち家）あり／キャッシュフロー小……ローン不可
娘夫婦＝純資産なし／キャッシュフローあり……自己資金なしローン不可

【連結後】親夫婦＋娘夫婦＝純資産あり／キャッシュフローあり……自己資金あり
←ローン可
（銀行のアパートローンを利用して1億円程度の物件を購入できる）

ポイントは、親子を分けてしまうと、母は「純資産はあるがキャッシュフローがない人」となり、娘は「キャッシュフローはあるが純資産がない人」になります。けれど、**その親子を合体させると、「純資産もキャッシュフローもある」2人がいることになって、銀行がお金を貸してくれる、**というわけです。

貯金2000万円を頭金として、土地建物を担保に入れれば、母は銀行から8000万円ほど借り入れができます。こうすれば1億円のアパートを買うことができます。

実際には彼らは、銀行から6000万円を借り、首都圏の郊外に8000万円の新築アパートを買いました。8部屋あって家賃収入は毎月40万～45万円です。

親子で連結して、銀行からお金を借りる

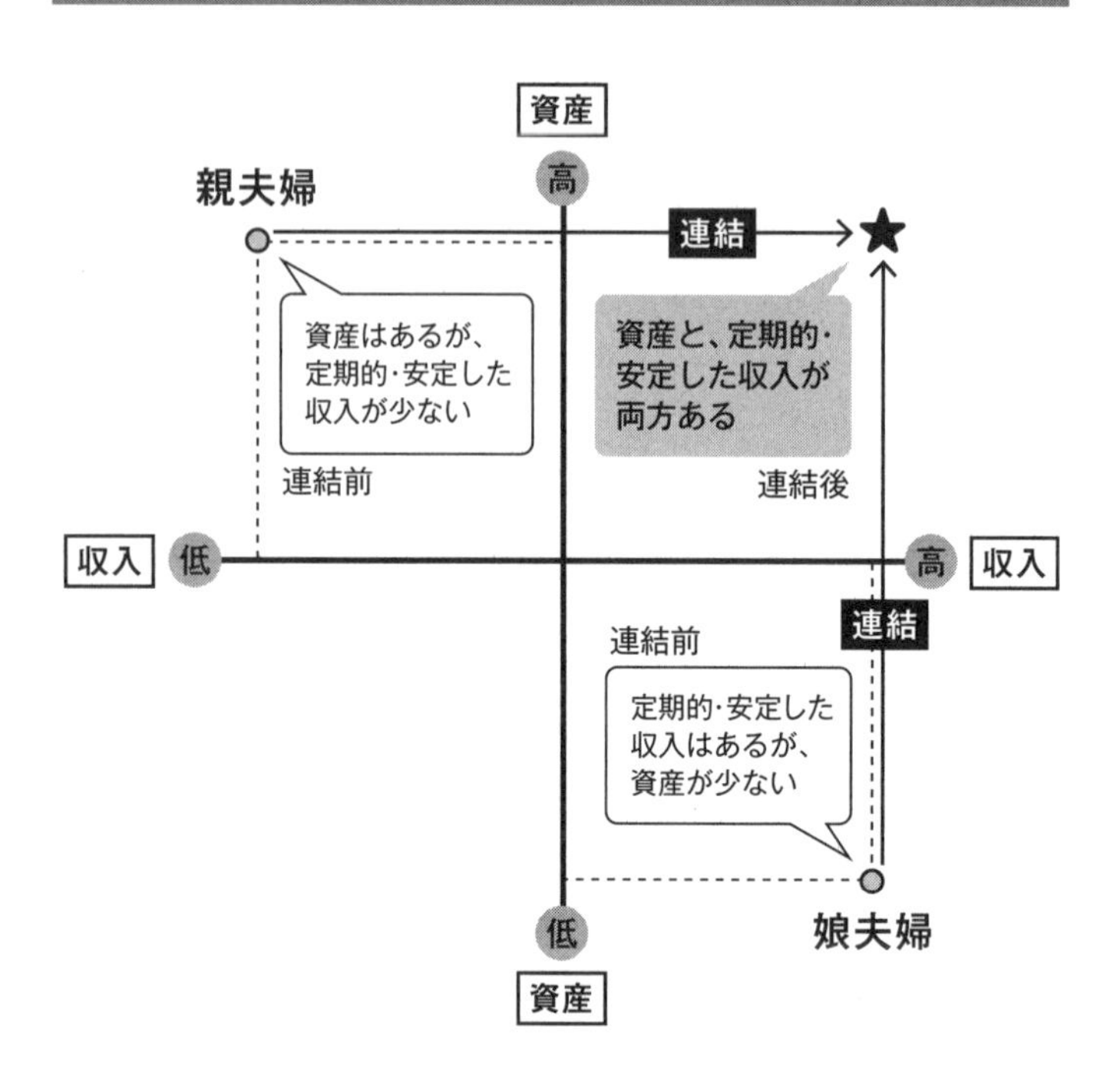

・親夫婦は「資産はあるが、収入の少ない人」
・娘夫婦は「収入はあるが、資産の少ない人」

⇨ 連結することで「資産も収入もある人」になり、銀行からお金を借りることができる！

アパートの維持管理費がかかるので母の家賃収入は20万円前後でしょうが、夫婦の年金があるから問題なし。

娘夫婦は共稼ぎの年収1000万円だから、これも問題なし。

貯金は少なくなりましたが、戸建ての家と新築アパートがあり、いずれどちらも娘夫婦が相続します。

いかがですか。アパートローンを断られた「銀行がお金を貸せない人」も、親子の資産や収入を連結させることで「銀行がお金を貸せる人たち」になれます。アパート経営も夢ではないのです。

答え

親子のお金や財産を「連結」させると、キャッシュフローや純資産が大きく変わる。ローンを組んでアパート経営も夢ではなくなる。

資産を増やす方法を
「知っているか、知らないか」。
それが、あなたの人生を
大きく左右する。

第3章

大きくお金が貯まる「不動産活用法」は、どっち？

借金には、
「いい借金」と「悪い借金」がある。
「いい借金」は、

あなたの資産を増やしてくれる。

質問15

「自分のお金」か「他人のお金」か、活用して資産が増えるのは、どっち？

ここまで、お金を「収入」と「支出」ではなく、不動産や負債も含めた「資産」として見ること、さらにその資産を親子（家族）で連結させるメリットをお話ししてきました。

ここからは、資産形式に欠かせない「不動産」にスポットを当てていきます。

不動産なんて自分には「関係ない」「無理」と思っている人が多いと思いますが、じつは、**ごく普通の一般人が「お金持ちになる扉」を開いてくれるのが、不動産なのです。**

不動産を活用して、あなたの資産を大きく増やす方法を伝授しましょう。

資産をつくるための最大のポイント、それは、いかに「銀行の力」を利用するかにあります。

銀行を単にATMでお金を出し入れするためだけに使っているのでは、本当にもったいないことです。**銀行からお金を調達する力を身につけることが、マネーライフを充実させるための肝といってもいいでしょう。**

「借金」というと聞こえは悪いですが、借金にも「いい借金」と「悪い借金」があります。このことを、知ってほしいと思います。

「悪い借金」の典型例は銀行系カードローン。金利は高いし、財布からただお金を持っていくだけの借金です。「いい借金」の代表選手は、もっとも金利が安く、しかも長期で貸してくれる「住宅ローン」。これを上手に活用することが、あなたの資産形成のカギ。住宅ローンを、自分にもっとも大きなリターンを運んでくれる「いい借金」と認識して、積極的に活用してください。

資産を増やしたきゃ、「他人のお金」を使いなさい

私は、銀行のアパートローン（住宅ローンより金利は高いが、それでも年1・5〜2・5％くらいで借りられる）を利用して資産をつくりました。

銀行員時代、サラリーマンをやりながら、副業として不動産収入が得られる物件を探しはじめたのです。最初に探したアパート1棟の価格は5000万円くらい。当時の年収が約1000万円だったので、まずはその5倍くらいから始めようかと思って

いました。

ところが、不動産会社の人から1億円くらいの魅力的な物件を紹介されたのです。当時は銀行員として、貸し出しを厳しくチェックする側でしたから、本当にそんなに借りられるか不安でしたが、地方銀行から借り入れをすることができました。頭金が1000万円ほどだったので、残り9000万円ほどがアパートローンということになります。

はじめのうちは思うようにいかないこともありましたが、苦労や失敗をいくつか重ねながらも、その後、順調にアパートを増やしていくことができました。

こうして時間的に自由な生活を送ることができるのは、まさに銀行からお金を借りたから。銀行を通して「他人のお金」を活用したからです。

最近まで、私は大人が家庭以外でもゆっくり過ごせる空間を提供しようと、東京の田園調布でカフェを経営していました。この店の開業資金も銀行から調達しました。創業時に融資してくれる日本政策金融公庫、さらに、信用保証協会が保証人になることで銀行にとってほぼノーリスクで事業融資できる「信用保証制度」を使って信用金庫から、それぞれ融資を受けました。

他人のお金、すなわち銀行のお金を利用しないと、資産は増えません。これは、私が肌で感じてきた実感であり、多くの成功者たちが実践してきたことでもあります。

できるだけ自分のお金を使わずに、銀行から安い金利でお金を借りて、それを元手に大きなリターンを得る。資産を大きく増やすには、この方法しかありません。

そこで「住宅ローン」です。何も難しいことではありません。

安い金利で長く貸してくれる住宅ローンを活用して、あなたの資産を増やしましょう。アパートを1棟買おうとか、今すぐ開業しようとか、そういうことをおすすめするわけではありません。その方法は、次の項目からくわしく解説していきましょう。

「銀行の力」を利用するといいましたが、利用できるのは住宅ローンだけではありません。銀行の力のひとつは、人の紹介です。

銀行は、幅広い人的ネットワークを持っています。銀行員は、何より相談されるのが大好きなのです。私もそうで、いつも誰かの役に立ちたいと思っていました。

たとえば、急に身内が亡くなって相続が発生した。書類の作成や役所への手続きが煩雑らしい。司法書士や税理士を頼みたいが、心当たりが全然ない。——そんなとき銀行に相談すれば、喜んで紹介してくれるでしょう。

事業を始めたいが、自治体の融資制度を使えないか？　家が手狭になってきたんだけど、近くでいいマンション知らない？　お金を借りる相談にかぎらず、わからないことや困っていることは、何でも銀行に相談するのです。そのことで銀行とのきずなが強まれば、住宅ローンの相談も、よりスムーズに進むというものです。

答え

できるだけ自分のお金を使わず、「他人のお金」を使う。銀行からお金を借りて、それを元手に資産を増やす。「住宅ローン」は、誰でも活用できる「いい借金」だ。

質問16

「持ち家派」か「賃貸派」か、お金持ちになるのは、どっち？

ここまで読んでくださった読者なら、もうおわかりでしょう。

私は断然「持ち家派」です。

賃貸派の人は、「家を買ったらリスクを抱えることになる。物件価格が下がってしまうリスクが大きいし、地震だってくるかも。売りたいとき売れないし、貸そうにも貸せない。お金が出ていくだけだから、資産どころか負債でしかない」といいます。

たしかに、その通りです。

実際に、売ったとしてもローンが残っているケースもあるし、最悪の場合はローンが支払えなくなって、安い価格で任意売却されてしまうこともあります。これでは、負債でしかありません。

しかし、これはそもそも購入した物件が悪いのです。**悪い物件は負債になります。逆に、いい物件は資産になります。**いい物件は、値上がりすることもあるし、賃貸に出して利益を運んできてくれることもある。こうなれば立派な資産です。

家を持たず、賃貸で暮らすことは、いつでも転居できる気軽さがありますし、定住しないライフスタイルを好む人には悪くないと思います。

ただ、「資産をつくる」という目的があるときは、いいことは何ひとつありません。単にお金が出ていくだけで、そのお金が返ってくる見込みはゼロなのです。わざわざそんなもったいない状況を好む理由が見当たりません。

持ち家なら、いい物件を選べば、将来、売ることもできるし、貸すこともできる。

「持ち家」か「賃貸」か、という議論で見落とせない点があります。この議論が成り立つ大前提は、**「高齢になっても、部屋を借りることができるかどうか」**ということなのです。

家主さんが500人ほど集まった講演会で私は、こうたずねたことがあります。

「ご自身の賃貸物件に、70歳以上の高齢者を積極的に入居させたいと思う方は？」

誰ひとりとして手を挙げませんでした。

高齢者が賃貸を借りるのは、簡単ではありません。入居審査では健康状態や年齢を理由にふるい落とされがちです。さらにひとり暮らしとなれば、家主は孤独死、重い病気、認知症などが招く近隣トラブルなどを不安に思って、貸したくないのです。

現役時代には難なく払えた家賃も、引退すれば重い負担となります。家賃の安いところに引っ越ししたくても、高齢になると、なかなかいいところが見つかりません。

かなりの金融資産を持っていたにもかかわらず、年齢を理由に入居を断られつづけ、結局、築30年を超えた賃貸物件に入ることを余儀なくされてしまった元エリートサラリーマンを知っています。残念ながら、これが日本の賃貸業界の現実です。

若い人たちには想像しにくいかもしれませんが、この現実を忘れてはいけません。

じゃあ、どんな物件を選べばいい？

問題は、どのような物件を買えばいいかです。負債になるか資産になるかは、物件の良し悪しで決まります。私は、次の3つのポイントを重視しています。

1　とことん「よい立地」にこだわる

私は、とことん「よい立地」にこだわります。よい立地とは、「貸すときに、よい値段で貸せる場所」のこと。自分が住むために購入する物件であっても、「もし人に貸したら……」という場合のことを、かならず考えておくべきです。

買う以上は、資産価値の下落が少ない物件を選びたいわけですが、**判断する目安は『ほかのだれか』に貸したときに、それなりの値段で貸せるかどうか**」です。

よい立地なら、年数がたっても、賃貸価格の下落を最小限に抑えられます。

2　物件価格は、毎月の賃貸料の200倍を目安にする

賃貸物件の「物件価格と家賃」には目安があって、「価格＝家賃の200倍」とされています。これは、絶対こうでなければダメという基準ではなく、経験上だいたいこんなところとされる標準的な目安です。首都圏では、わりとうまくあてはまります。

たとえば、マンションについては、こんな具合です。

①価格1500万円で家賃10万円……150倍だから割安物件。お買い得。
②価格2000万円で家賃10万円……200倍だから標準的。悪くない買い物。
③価格2500万円で家賃10万円……250倍だから割高。

標準的なマンション②の家賃収入は年120万円。これは購入価格2000万円の6%(=120万÷2000万×100%)ですから、「利回り」は年6%です。

同じ計算をすれば、利回りは順に①8%、②6%、③4・8%。

投資に見合う利回りは6%前後といわれています。これより儲かる物件①は買ってもよいが、③の購入は見合わせたほうがよい、ということになります。

新築マンションは、価格が家賃の250~300倍以上と、割高で利回りの低いものが多いので、注意が必要です。

いうまでもなく、これは買い手から見た話で、借り手から見れば、③②①の順に借り得の物件ということになります。

3 住宅ローンの支払い額を、手取り収入の25%以内に抑える

住宅ローンの支払いは、収入の25%以下に抑えたい。

手取り25万円の人なら毎月6万円ちょっとの返済ですむように、住宅ローンを組むことがとても大事です。**これ以上のパーセンテージになると、毎月の家計を圧迫しはじめ、貯蓄ができません。**

毎月決まって大きな支出をしめる住宅費、保険料、自動車費、教育費を4大固定費といいます。そのうちもっとも大きいのが住宅ローン。これを小さく抑えることが、安定した貯蓄をするための大切なポイントです。

ところで、10万円で貸すことができて価格2000万円くらいの物件は、残念ながらそれほど多くありません。ただ、必ずありますから、根気よく探すべきです。

探すときは、そのエリアの賃貸の相場を確認しておきましょう。賃貸サイトを見れば、だいたいわかります。

首都圏でいえば、世田谷や目黒など城南地区には、そういった物件は、ほぼありません。でも、城東地区（葛飾区・墨田区・江東区・江戸川区・台東区など）や城北地区（北区・豊島区・板橋区・練馬区など）には、わずかですが出てきます。

王子、巣鴨、赤羽といった地域は、都心から近いにもかかわらず、ちょっと放置されているような場所。物件は安いのに、そこそこの家賃が取れる穴場です。

好物件は、インターネットに出ていないことが多いので、**具体的なエリアを決めたら、地元の不動産屋さんをこまめにまわってみてください。**

ごちゃごちゃした町を選びなさい

具体的なエリアは、どのように決めればいいか……。

私は「歴史のある地域は家賃の相場が下がらない」と確信しています。

逆に、新しくつくられた住宅街は危ない。

たとえば、昔のニュータウンや新興住宅地は、同じような年代の人が一斉に入居するので、やがて町全体が高齢化していき、若者たちは出ていきます。すると新しく入居を希望する人が減ってしまい、ゴーストタウン化していきます。

これでは、貸したくても貸せませんし、売りたくても売れません。老朽化した集合住宅を建て直したいが、なかなか意見がまとまらないという問題が日本各地で起こっています。

また同じような年代の人が集まってきて、第2、第3の多摩ニュータウンのようになってしまわないか、心配しています。

それよりも、**歴史があって、さまざまな年代の人が住んでいる町を選びたい。古い人も新しい人もいて、ごちゃごちゃしている。そんな町が理想です。**王子、巣鴨、月島、高円寺などは昔からある町ですから、地域力があって、いってみれば「腰が強い」のです。当然ながら、駅から近いほうがいい。周囲に店・スーパー・学校・病院などがあるほうがいい。**自分が借りる側になってみれば、自ずと条件も見えてくると思います。**

地方では、戸建て賃貸にニーズがあります。小さな子どもがいると、アパートよりも戸建てのほうが人気です。アパートやマンションでは、下の住人に足音が響いていないか、隣の住民に迷惑がかかっていないか、と気になるからです。

ですから、ファミリー層を想定して、駐車場がついている、保育園・学校や病院が近い、といった条件も考慮したほうがいいでしょう。

いつ何が起こるかわかりませんので、いつでも貸せるように、いつでも売れるように、よくよく考えたうえで、購入物件を選んでください。

答え

資産をつくりたいなら、断然「持ち家」がいい。大切なのは物件選び。将来いつでも売れる・貸せる立地の物件を！

質問 17

家は「結婚前に買う」か、「結婚してから買う」か、どっち？

賃貸よりも持ち家を買ったほうが断然いい、とお話ししました。物件選びのポイントも3つ（好立地・物件価格・無理のない住宅ローン返済額）紹介しました。

物件選びのほかに、もうひとつ問題になることがあります。**物件の購入時期です。**

一般的には、多くの人が、結婚してから家を買うことを検討するのではないでしょうか。子どもが生まれてから、という人もいるでしょう。独身時代に自分の家（マンション）を買う人は珍しいと思います。

しかし、私は、**独身の若いときに家を買って、人生の早い段階から資産をつくるべきだと考えています。**

前にお話ししたように、家賃の支払いはただの支出です。資産にはなりません。対して住宅ローンの支払いは、同じ支出金額でも資産が増えていきます。

独身の若い人ならば、首都圏では中古で1500万円くらいのマンションが手ごろでおすすめです。そのくらいの物件なら、頭金なし・ボーナス払いなしでも、月々の支払いは4万5000円程度ですみます（金利1・5％で元利均等返済、返済期間35年の場合）。

首都圏で月4万5000円の賃貸物件を探しても、築古アパートしか見つかりません。でも、1500万〜2000万円出せば、そこそこのマンションが買えます。**ちょっと古いけど、独身や夫婦暮らしには充分な広さの「わが家」を、家計に無理なく買うことができるわけです。**

ただし、住宅ローンの条件として、専有面積の下限（マンションなら30平米以上など）があります。銀行によって違いますから、あらかじめ確認しておきましょう。

ポイントは、立地にはとことんこだわり、人に貸したとき家賃を10万円くらい取ることができるような物件を探すことです（137ページ「質問16」）。

そこに、安い住宅ローンで自分が住めばいい。

お金を新たに生み出すわけではありませんが、自分が家主だと思えば、自分に家賃を支払っているのと同じ。こうやって自分の純資産を、若いうちから無理せず増やすことができるのです。

ルームシェアで、家賃収入を得る

若いうちからマンションを買うメリットは、ほかにもいろいろあります。

毎月の支払い額が同じなら、持ち家のほうが、賃貸よりも広い場所に住めることが多いでしょう。

中古の2DKマンションを購入すれば、友人を連れてきてルームシェアすることもできます。若いうちなら、わりと気軽にできることです。


2部屋あるのだから、1部屋を安い値段で貸すのです。

そうすれば家賃が得られるので、ローン負担はかなり軽くなります。

これで**正真正銘の「家主」になれるわけです。**


ルームシェア専用の不動産仲介業者もいますから、一緒に住む友人が見つからなくても大丈夫。たとえば「王子駅から徒歩7分、ルームシェア希望」というように頼んで、3万円でも5万円でも家賃を取ればいいのです。

もし3LDKのマンションを購入できれば、3人でルームシェアできるかもしれません。そうなれば、家賃収入で、ローン支払いをほとんどまかなうことができます。**住宅費を削れば、それだけ貯蓄にまわすことができます。持ち家という資産だけでなく、現金の資産まで得られるわけです。**

こう見ていくと、物件を購入するときは、間取りがとても重要なことがおわかりでしょう。**ルームシェアしやすい間取り、将来売りやすい間取りも考えるべきです。**

親御さんの手前、大きな声ではいえませんが、ルームシェアをするのは友人同士でなくても、好きな彼女や彼氏と同棲して、家賃の一部をもらってもいいわけです。好きな人と住みながら、自分はローンの返済負担が軽くなる。相手も家賃負担が軽くなる。お互いにとって、こんないいことはありません。

住宅ローンは魔法の商品です。これを活用することが、会社員にとって、もっとももうまく資産を増やせる方法ではないでしょうか。高い家賃を支払っているのは、もったいないとしかいいようがありません。

若いうちから「購入↓ルームシェア」で家賃を得るという訓練をしておけば、将来それをもっと大きな規模でできるようになり、さらなる資産をつくれるようになるのです。

結婚したら人に貸しなさい！

あなたが結婚したら、また状況が変わってきます。

持っているマンションで同居してもいいのですが、もうちょっと広いところに移りたいと思うかもしれません。

相手の意見や趣味もあります。子どもができたらなおさらです。

そうなったら、**もう少し広いマンションを探して、もう一度住宅ローンを組むよう**

にするのです。夫婦で働いているなら、以前より広くて高いマンションを購入できます。そして、**前の物件は人に貸せばいいのです。**

銀行から「前の家はどうするのですか?」と聞かれたら、「共稼ぎなので、お互いの通勤に便利な場所に住み替えたい。会社へのアクセスを考えて、新しいマンションを住宅ローンで買いたい。前の家はゆくゆくは売るつもりだけど、いまは貸しておきたいからアパートローンに切り替えたい」と答えればいいのです。

もちろん前の家を売ってしまう手もありますが、**前の家のローン支払いよりも、人に貸して得られる家賃収入のほうが高ければ、新たな収入となります。**

たとえば、前の家のローン返済額が月7万円。これを貸した家賃収入が月10万円ならば、毎月3万円の不労所得があなたの懐に入ってきます。安定した不労所得を得られるのですから、売るよりも貸すほうが断然いいですね。

まず貸すことを考え、どうしても借り手が見つからない場合にかぎって、売ればいいのです。

このときこそ**「いつでも貸せる、いつでも売れる——をよく考えて、家を選ぶ」という考え方が生きてきます。**

新たな物件は、マンションにこだわらなくてもいいかもしれません。たとえば、戸建て併用住宅を見つける。2階に自分たち夫婦が住み、1階のワンルーム2つをそれぞれ7万円で人に貸す。すると毎月の家賃収入は14万円。住宅ローンが15万円ならば、実質ほぼタダで家が買えてしまいます。

すると、貯蓄額を飛躍的に増やすことができます。なにせ、住宅費がゼロなのですから。

上物（建物）の50%以上を自分たちの住居に使えば、住宅ローンを借りることができます。金利が1・5〜2・5%くらいと高いアパートローンを利用しなくても、もっと金利の安い住宅ローンを利用して、事実上アパート経営を実現できるわけです。

アパート経営というと「そんなこと自分には無理……」と思う人が多いのですが、

住宅ローンで家賃収入を得る方法

独身時代 **3DKマンションを買った場合**

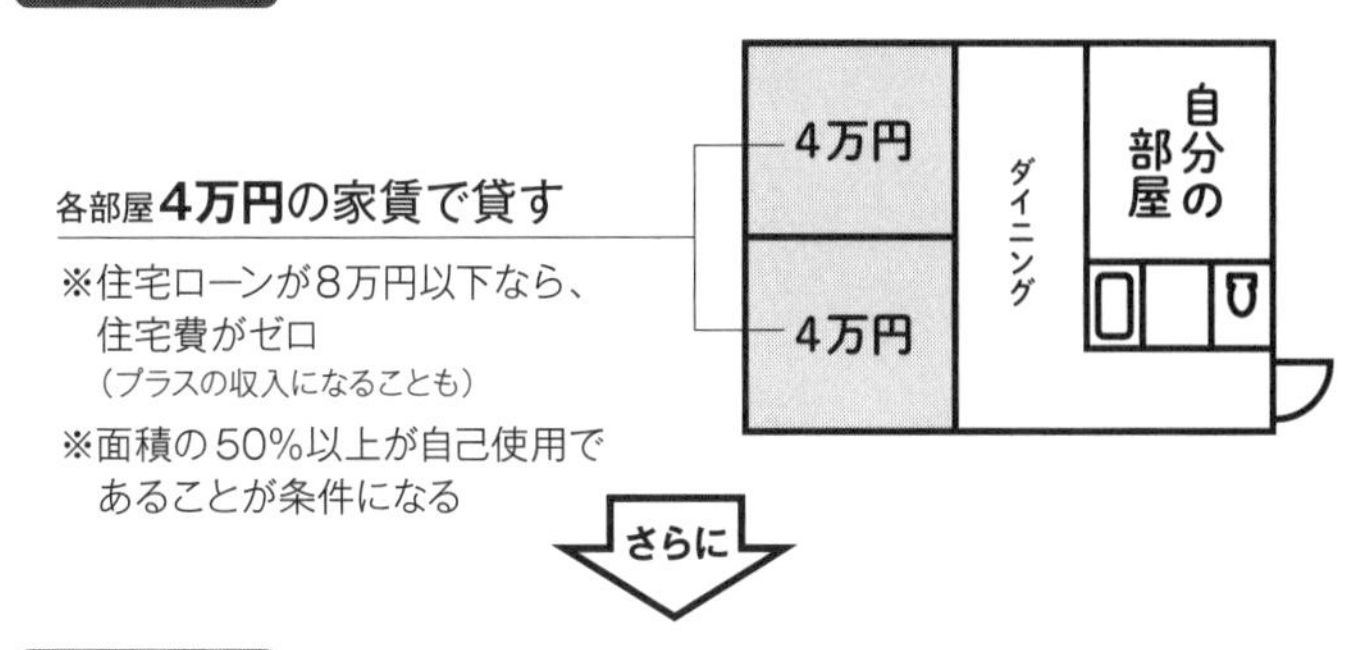

さらに

結婚後 **新しい家（戸建て）を買った場合**

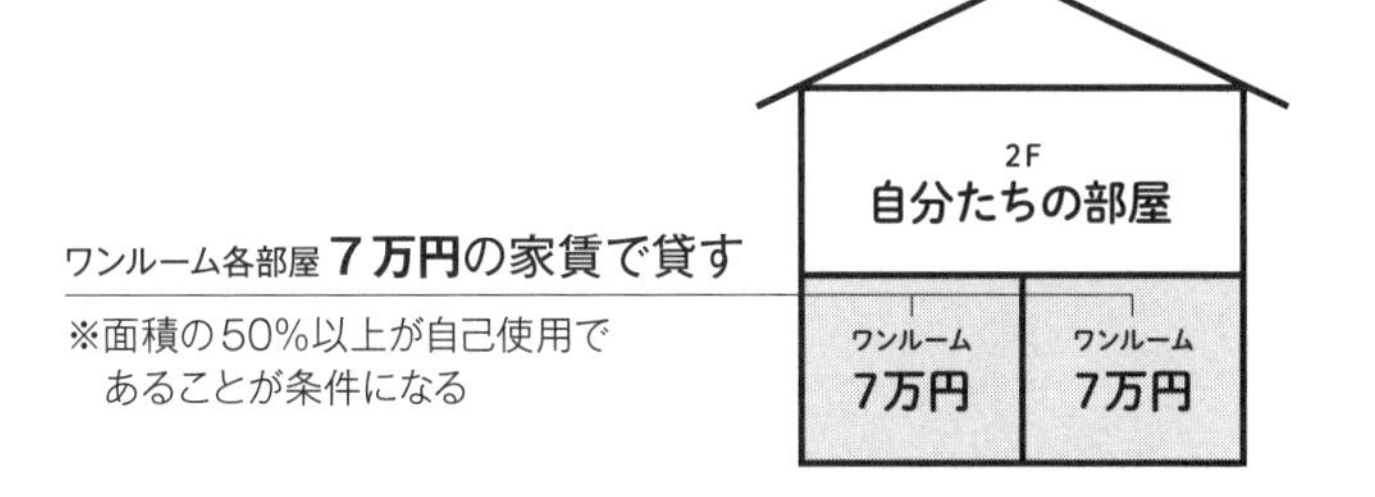

独身時代 のマンションは**10万円**で貸す

＋ プラス

結婚後 の戸建ての各部屋を**7万円**で貸す（計14万円）

→ **合計24万円の家賃収入**

▶ **2つの住宅ローンの合計よりも家賃収入が高ければ、タダでマンションと戸建てを手に入れられる!!**

いかがでしょうか？

このように考えると、意外と身近に感じることができたのではありませんか？

住宅ローンをいかに活用するか――。これが資産を増やす最大のポイントです。

答え

「持ち家」を若いうちから手に入れるべき。ルームシェアで家賃収入を得る。結婚したら新しい物件を購入する。前のマンションは売ってもいいが、できれば人に貸す。住宅ローンを活用しながらステップアップしていくことが、資産形成の早道だ！

質問 18

あなたは、銀行がお金を「貸したい人」、「貸したくない人」、どっち？

これまで「銀行からの融資、つまり『他人のお金』を活用してこそ、お金が貯まり、資産も大きくできる」という話をしてきました。

これは銀行と付き合い、銀行の手を借りなければ、ふつうの人にはできないこと。ですから、あなたは「銀行がお金を貸したくなる人」になりましょう。ここでは、そういう人になるための11か条を見ていきます。

銀行がお金を「どうしても貸したい人」になる11か条

1 「黒字の人」になる

赤字を垂れ流す人でなく、「黒字の人」になること。これは基本中の基本です。

キャッシュフロー（現金の流れ）が「収入−（マイナス）支出＞0」になっている人、支出をかならず収入の範囲内に抑えて手元に残るお金のある人が、黒字の人。ようするに、黒字の人とは、「貯金がある人」です。

ただ収入が多いだけではダメ。高収入で浪費ばかりする赤字の人より、中くらいの

収入でもお金を貯めた黒字の人のほうが、銀行にとっては信用のある人です。

個人事業主や中小零細企業の社長さんによくある間違いは、使ったお金を何でもかんでも経費に入れて利益を少なくし、税金を抑えることにやっきになりすぎてしまうことです。すると、節税はできても黒字を出せず、銀行からお金を借りることができなくなってしまいます。

「じつは黒字は出ていますが、節税のために経費を多くして、黒字を少なく見せているんです」などという言い訳は、銀行には通用しません。「節税する人」や「税金を払わない人」になれても、「黒字の人」になれないのであれば本末転倒です。黒字は、「優良な資産」と「健全な財務体質」から生まれるのです。

2 「純資産がプラスの人」になる

「純資産」とは「資産－(マイナス)負債」のことです。「黒字の人」と似ていますが、この「純資産がプラスの人」になることも、基本中の基本です。

銀行に「3期分の決算書・確定申告書を持ってきてください」といわれることがよくあります。銀行は決算書（貸借対照表「バランスシート」・損益計算書・キャッシュフロー計算書などからなる）を3年分、横に並べて、あなたが「黒字の人」で、しかも「純資産がプラスの人」を続けているかどうか、チェックしているのです。

3　「お金のルールを理解している人」になる

1の「黒字の人」と2の「純資産がプラスの人」は、銀行がお金を貸したくなるために最低限必要な条件ですが、もう一歩進めて、ぜひ「お金のルールを理解している人」になってください。

お金持ちのルールは、たったひとつ、**それは「簿記」です。「お金持ちになるための教養イコール簿記だ」といってもよいと、私は思っています。**

では、簿記学校に通って簿記を勉強したら、あるいは会計士の資格を取ればお金持ちになれるかというと、違います。帳簿をつけるのは税理士に任せても、いっこうにかまいません。私がいいたいのは、お金についての最低限の用語なり、基本的な考え方なりを理解する必要がある、ということです。

もっと具体的にいえば、お金を儲けるというのは、まず、①集めたり貯めたりしてまとまったお金を手にし、次に、②そのお金をもっと増えそうな何かに投資して、③利益を上げるわけです。

会社でいえば、①資本金を集めて借り入れをし、②工場を建てて生産し、③製品を売って利益を上げます。アパートでいえば、①頭金を貯めて銀行融資を受け、②アパートを買うなり建てるなりして、③入居者を募って利益を上げます。

銀行はB/S（バランスシート）、P/L（損益計算書）をチェックします（11ページ）。これを見れば、お金の流れが一目でわかります。

こうした基本的なお金の動きを理解しておらず、資産・投資・経費・減価償却など、よく使われる言葉の意味もわかっていない人は、銀行員を「この人に貸しても大丈夫だろうか」と不安にさせてしまいます。

逆に、①~③のようなお金の動きを理解し、基本的な用語もわかっていれば、銀行員から信用できる人と思われるわけです。

「お金のルールを理解している人」、「お金に強い人」になってください。私が銀行員時代に会ったお金持ちたちは、例外なくそういう人ばかりでした。

4 「信用情報がクリーンな人」になる

銀行は、お金を借りたい人の「個人信用情報」をかならず調べます。あなたの名前と生年月日と住所を打ち込み、信用情報センター機関（全国銀行個人信用情報センター、株式会社シー・アイ・シー、日本信用情報機構など）に蓄積されているデータと照合するのです。くわしくは、のちほど説明します（191ページ「質問21」）。

そこで、**カードローンなどで支払い遅延や滞納したことがあるといった問題が見つかると、住宅ローンを断られてしまう恐れがあります。**

クレジットカードを何枚も使っていると、浪費家と思われる恐れもあります。注意が必要なのは、クレジットカードについているキャッシング枠（いつでも現金を借りることができる枠）。これは、一度も利用しなくても借金にカウントされるので、10枚持っていたために200万～300万円を借りることができないといったケースが出てきます。

銀行は住宅ローンの「返済比率」を、年収に応じて35％などと決めています。そして、借入総額や返済期間や金利をあれこれ計算してみて、どうやっても35％を超えてしまうときは、「総合的に判断して、今回は見送りとさせていただきます」と、ローンを断るのです。断る理由の詳細は教えないことになっています。

この借入総額を、カードのキャッシング枠がムダにふくらませていることがありますから、**不要なカードの処分や、キャッシング枠の停止が必要です。**

いずれにせよ、住宅ローンを断られる最大の理由は、個人信用情報に何らかの問題があることです。まずは「信用情報がクリーンな人」になりましょう。

5 「自分のことを説明できる人」になる

ローンを申し込むとき「年収は○○○万円ですが、貸せるだけ貸してください」という人がいます。これは、お話になりません。

自分は、どんな不動産を買う計画があり、貯金がいくらで、いくら頭金を出し、いくら借りて、いつごろまでに返したいか、説明できる人になってください。

たとえば、**貯金のうち500万円をどうしても残したい理由があれば、ちゃんと説明できなければいけません。**

土地の比率が低い新築マンションは、買ったとたんに価格が下がり、担保評価額も低いので、自己資金が少ないと「信用貸し」の部分（担保の裏付けのない金額）が大きくなります。「子どもが海外留学する」「家を相続する自分が親を介護する」というように、頭金を500万円減らす理由を説明し、銀行にあなたを信用させることが必要です。

アパートを経営する人も、**調子のよいことだけいっても信用されません。**たとえば「入居者が減って家賃収入が少なく、そのため貯金も減ってしまった。来期は管理会社を変え、広告費も○○万円ほどかけて、入居率を95%まで上げる算段をしているところです」と説明するのです。

いつもこのように説明する人と、いつも説明なしに決算書だけ見せて終わりにする人が、「アパートをもう1棟増やしたい」といったとしたら、銀行がどちらにお金を貸したいと思うか、いうまでもありません。

あなたは前者の「自分のことを説明できる人」になってください。そして、個人であっても経営者になったつもりで、自分株式会社の数年先の事業計画を、理路整然と説明してください。

6 「銀行員が欲しいものをわたす人」になる

ちゃんと数えたわけではありませんが、私は銀行員時代、「お金を貸してほしい」という3万人くらいに会ったと思います。

たしかにいえるのは、その中に、年齢が若く、勤務先もよく、年収が高く、自己資金（使える貯金）も多く、担保も充分で、銀行が融資するときに100％問題がない完璧な人などひとりもいなかったということです。

たいていは、担保が不充分、キャッシュフローが弱い（貯金が少ない）、属性（年収や勤務先その他の個人にかかわる情報）に引っかかる点があるなど、なにかしらの問題がありました。

それでも銀行は、その人の望みどおりお金を貸して、商売したいのです。そこで、**担当者は融資の審査のとき「この人はここが弱いが、別のことで充分に補うことができる」と説明するネタを探します。**たとえば、こんなことです。

「この人は都内の戸建てに住む親のひとりっ子で、かならずその家を相続します」

「この人の会社の規定から、退職金が2500万円以下ということはありません」

「この人は親の代から当行と取り引きがあり、会社に入ったとき口座を開いて、20代から積立貯金を続けています。そんな堅実な人だから、中古アパートを買っても、ちゃんと収入の20％を積み立てるはずです」

担当者は「だから大きな問題にはならず、融資しても大丈夫」と説明したいのです。
銀行員とよくコミュニケーションをとり、銀行員が欲しいと思うネタを察知して、それをわたせる人になりましょう。

7 「長い付き合いを大切にする人」になる

メガバンク（大手の都市銀行）は、大企業勤めや公務員など安定した人ばかりを相手にしがちです。これに対して信用金庫は、地域の中小企業や商店に勤める個人を主な取引先にしています。

たとえば貯金500万円の人は、メガバンクでは相手にされなくても、信用金庫では上客です。信用金庫は地域の事情をよく知っているので、地元で不動産を買うときもいろいろと相談に乗ってくれます。

ですから、**給与が振り込まれる口座（通称・きゅうふり口座）を、メガバンクでなく信用金庫に開くことをおすすめします。**

そんな信用金庫と長く付き合っていると、たとえば土地付きの古い木造アパートを手に入れるとき、上物が築30年だろうと40年だろうと関係なく、土地値から目いっぱいの融資（担保評価額70％を超えた融資）をしてくれるケースがありうるのです。

祖父母や両親の代から、その信用金庫と長い付き合いのある馴染みの人なら、なおさらそうで、いきなり借金を申し込む一見（いちげん）の人とは、扱いがまったく違います。

そんな「長い付き合いを大切にする人」になることが必要です。そのコツはあとで説明します（211ページ「質問23」）。

8 「神様ぶらず、銀行員をうまく乗せる人」になる

「お客様は神様です」

そのとおりですが、**あなたの相手が銀行ならば、「客の自分は神様だ」という尊大な態度を見せても、まったく意味がありません。**それどころか、銀行員の「何とか相談に乗ろう」という気持ちを失わせ、問題なく貸してもらえるはずの住宅ローンの条件がきつくなったり、最悪、断られることすらあります。

銀行員はローンの審査の過程で、「この通帳を持ってきてください」「あの書類も用意してください」と、あなたに頼むかもしれません。あなたは、「最初に、これとこれが必要と、全部いってくれればいいのに」と思うでしょう。でも、そこで「なぜ、1回でいわないの⁉」と怒ってはいけません。

担当者は、何とか話を通そうと頑張っていて、「いける」と思ったのに、上司や審査部門から「ここはどうなっている？」と聞かれることが、しばしばあります。**次から次へと書類が必要になるのは、審査が進んでいるからだと考えて、担当者がなるべく動きやすいように、求められた書類を用意してください。**

銀行員を神様と思って下手に出るべきだ、というのではありません。「いろいろ大変みたいだけど、頑張ってね」と銀行員をうまく乗せて、自分の狙いどおりに動かすべきです。

自宅のローンとは別に新たなローンが必要になるかもしれません。そこまで見通して、銀行とは気持ちよく付き合うことです。

9 「丁寧で、抜け目のない人」になる

ルーズな人、アバウトな人、万事いい加減な人には、銀行はお金を貸したくありません。貸したお金の返済が、ルーズで、アバウトで、いい加減では困るからです。

銀行員が、そんな人かどうかを**判定するひとつの方法は、申込書類に記入された字を見ることです。**ペン習字のお手本のような字を書く必要は、まったくありませんが、相手の読みやすさを考えて丁寧な字を書く人のほうが、信用されて得です。殴り書きのような乱暴な字を書くと、警戒されて損なのです。

書類に空欄が多いのも感心しません。借入申込書に、車のローンなど借入金の記入欄があります。ここに携帯電話の分割払いの残金が書いてあれば、銀行は「信用できそうな人だ」と思います。そんな「丁寧で、抜け目のない人」になってください。

自分勝手に早口でしゃべるのも感心しません。何かゴマ化しているようにも見えて損です。

10「何でも相談し、質問する人」になる

ある人の「信用」をつくるものは、収入や貯金や土地建物など金額で測ることができるもの以外に、知識、技能、人脈をはじめ、さまざまなものがあります。

それらは、仕事と関係する分野に限られるのがふつうです。商社マンでもエンジニアでも主婦でも、それぞれ専門知識や技能、人脈があるでしょうが、住宅や不動産に関する知識は似たようなものです。

住宅ローンを貸してほしいという人の大半は、住宅ローンの「初心者」です。初心者が1000万円単位の買い物をするのですから、インターネットや書籍などを参考にして、基本的な知識を備えてもらいたいと思います。

しかし、**知識よりも大切なことは、コミュニケーション能力です。何でもオープンに相談し、わからないことは教えてほしいと積極的に質問することです。**

銀行で「わからないことが3つあります」と根掘り葉掘り聞き、説明をメモする人

は、うるさくて面倒くさい人ではなく、問題を整理して自分で解決しようとするまじめな人。銀行が「信用できそうだ」と思う人です。

11 「等身大の自分を見せる人」になる

銀行で相談するとき、やたらと専門用語を使いたがる人がいます。

少ない自己資金で大きな物件を買いたいとき「レバレッジを大きくしたい」とか、高い家賃を取りたいとき「リターンを大きくしたい」とかいう類いです。

有名人や銀行の上役を知っているという人や、日本経済新聞で読んだような話を次から次にする人もいます。自分が経済に明るいところを見せようとしたり、**自分を大きく見せようとしたりするのですが、こういう態度はまったく無用で、逆効果です。**

銀行員の仕事は「嘘を見抜くこと」です。嘘が見抜けなければ、大きな損失を出してしまいますから。実力がないのに虚勢を張る人や、厚化粧で自分を飾る人は、話した瞬間にわかります。在庫がどうで、売掛金がこうというような数字の羅列から嘘を見抜くより、はるかに楽なのです。

そんなムダな態度はやめて、「等身大の自分を見せる人」になってください。

答え

11か条にあてはまったあなたは、「銀行がお金を貸したくなる人」。お金を借りるには、そのルールを理解し、銀行員から信頼されることが大切。申請書類は、丁寧な字で記入漏れがないように。訳知り顔は無意味。高飛車な態度もダメ。追加の提出書類要求にも嫌な顔をせず、つねに銀行員がやりやすいように先回り。すると住宅ローンも事業融資も通りやすくなる。

最大のリスクは、
「貯金がない」ことと
「信用がない」ことである。

質問19

住宅ローンは「ボーナス払い」か、「一律平均払い」か、得するのは、どっち？

住宅ローンを組むとき、ボーナス払いにしては「絶対に」いけません。
誰もが思っているように、いまの時代、かならずボーナスをもらえる保証など、どこにもないからです。

もし、ローンの支払いを3回延滞してしまったら、アウトです。

せっかく購入した家を差し押さえられ、それどころか、あなたの預金まで差し押さえられてしまいます。
ローンが払えないとなれば、銀行は債権回収会社に、物件をなんと100万円ほどで売ってしまいます。銀行は保険に入っていますから、100万円で売り渡したところで、痛くもかゆくもないのです。

債権回収会社は、「競売」にかける前に、「任意売却」にかけます。
競売は、所有者の同意のない強制売却を裁判所が認め、裁判所が所有者に代わって物件の購入者をオークション形式で決めること。

その手前で、不動産をふつうの販売方法で売り出すのが任意売却です。たとえば、5000万円で買ったものが、3000万〜4000万円くらいで売りに出されます。4000万円で売れたら、3900万円が債権回収会社の収入になります。

こうしてあなたの資産は、あっという間に「ほかのだれか」のものになります。

ようするに、**支払い延滞に陥ってしまうリスクを、できるかぎり小さくしておくことが大切です。**ボーナス払いにすれば、月々の支払い額が少なくなり、返済完了までの期間も短くなりますが、危険とつねに隣り合わせになってしまうのです。

「借りられる金額」と「返せる金額」は違う

借金したとき、自分で返すことができる金額は、「年収の20％」くらいまで、と私は考えています。銀行は「返済率35％（収入の35％）」まで貸してくれます。でも、こんなに借りてしまったら、生活は苦しくなるに決まっています。

住宅ローンの支払い額を低く抑えるために、年収の20%と最初に決めれば、購入できる物件の価格が自動的に決まります。

年収500万円の人であれば、住宅ローンの支払いは年間100万円。毎月では8万3000円になります。仮に住宅ローン（35年）の金利が1%だとすると、だいたい3000万円の物件になります（ネット上の住宅ローン・シミュレーションに数字を入れて確認してください）。

貯金や親からの援助などで頭金を用意できる人は、その額をプラスします。たとえば、頭金500万円が調達できたとすれば、価格3500万円の物件を探すことになります。

ところが、ほとんどの人は、物件の価格を決める前に、物件を先に見に行ってしまいます。「やっぱり、タワーマンションがいいわ」と奥さんにせがまれて、オープンルームに行ってしまうのです。

実際に見ると、豪華なエントランスや海が見える眺望に舞い上がってしまう。

住宅展示場には、かならず不動産業者が立っていて、こういいます。

「ためしに35年の住宅ローンを組んだら、毎月の返済がいくらになるか、調べてみましょうか」

そうすれば、お客様が飛びつくことを知っているからです。「年収はおいくらですか？　奥様も働いていますよね？」と聞かれ、業者が電卓を叩いて「あ、充分買えますよ！　私にお任せください」となるわけです。

しかし、「お金を借りることができる」と、「お金を返すことができる」は、まったく違います。**借りられる金額を聞くと「自分はその額を返せるんだ」と勘違いしがちですが、これはとても危険です。**

20代の若いころから家計の管理ができていれば、返せるかどうか感覚的にわかります。住宅費は収入の何パーセントくらいまで、と頭に入っているからです。

ところが、家計管理をしてこなかった人は、物件の魅力と不動産業者の甘い文言に負けて、自分の身の丈以上の物件を無理に購入してしまうのです。

夫婦2人の共稼ぎだと、不動産業者は2人の収入を合算してローンを組むことをすすめてきます。でも、子どもが生まれて、もし奥さんが仕事をやめれば、奥さんの収入はゼロ。結局、返せなくなってカードローンを借りる。その支払いを、また別のカードローンから借りてくる。そんな悪循環に落ち込んで、最終的に破綻してしまった人を、私はたくさん見てきました。

そんな失敗をしないために、**業者のいうことを聞きすぎず、自分で返すことのできる金額を、確実に把握しておく必要があります。**

答え

ボーナス払いは危険！　ローンは年収の20％までに抑え、一律平均で返済しよう。

質問 20

「繰り上げ返済する」か、「手持ち現金を貯める」か、得するのは、どっち？

借り入れ金3000万円、返済期間30年、金利1・2％、一律平均払い（ボーナス返済なし）という住宅ローンを組んで、マンションか戸建てを購入したとします。ボーナスは住宅費には使わないと最初に決めました。返済額は収入の20％以下に抑えて無理もしていません。すると、年月がたつにつれて給料が上がりますから、100万円単位で余裕資金が生まれることは、充分にありそうです。そのとき、

1　まとまった資金を住宅ローンの「繰り上げ返済」にあて、期間を短縮するか、または返済額を減らす。

2　住宅ローンはそのままにして、まとまった資金は「貯金」にまわす。

どちらにするか、迷う人がいるかもしれません。

「繰り上げ返済」をするかどうかは、自分のライフプランによります。

自分や夫婦・子どもの年齢を記した年表に、子どもの入学・卒業や結婚、自分の定年といった主要なイベントを書き込めば、簡単にライフプランをつくることができま

す（97ページ「質問11」）。
ライフプランの表に各年の予定収入・支出を記入すれば、いつ、どのくらいのお金が必要かわかります。必要なお金は、必要な時点までに貯金（積み立て）などして、手元に置いておかなければいけません。

ですから、ローン支払いを早く終わらせたい一心で、むやみに繰り上げ返済をしてしまってはダメです。

住宅ローンを返しすぎ、子どもの大学入学金が足りなくなったケースをしばしば耳にします。**住宅ローンは金利の安い有利なローンなのです。お金が足りなくなって、住宅ローンより金利の高い学資ローンや教育ローンでお金を借りれば、かなり損をしてしまいます。**

地震に加えて最近の異常気象や突風・豪雨・洪水などの被害を見れば、予期しない自然災害というのは起こりえますし、新型コロナウイルス感染症のような新たな病が発生する恐れもあります。ある程度まとまった貯金を持っていれば安心でしょう。

ライフプランとにらめっこしたうえで、大丈夫と確信できれば、返済にまわしてもいいでしょう。支払い総額が減り、純資産が大きくなるメリットはあります。

ただし、非常に安い金利でお金を調達できているのですから、無理に繰り上げ返済をする必要はない、と私は考えています。

住宅ローンでは、「団体信用生命保険」(団信)にも加入しているのです。

これは契約者が亡くなるか高度障害状態になるかしたとき、残りの住宅ローンがチャラになる保険で、住宅ローンの金利の中から保険料が払われています。このメリットを享受せずに繰り上げ返済をするのは、じつにもったいないことなのです。

住宅ローン以上の金利を稼ぐ

住宅ローンの金利は、せいぜい1%程度。余裕資金が生まれたら、返済にまわすのではなく、投資にまわすほうがかしこいかもしれません。

たとえば、投資信託を勉強して、金利1％以上稼げるようにする。

仮に7％の運用でまわすことができれば、差し引き6％の収益になります。

新しい資産を運んでくれる原資になるわけですから、わざわざ金利1％にすぎない住宅ローンを返すのはもったいないといえます。


将来、アパート経営をしたいと考えている人は、繰り上げ返済などせずに、できるだけ手元に現金を残しておいたほうがいいのです。

アパートローンを借りるときは、自己資金がいくらあるかが審査のうえで圧倒的に重要になるからです。これはほかの事業を始める場合も同じです。

余裕資金を住宅ローン返済に使ってしまうと、借金が減った代わりに、現金がない人になってしまいます。アパート経営は何が起こるかわかりません。万一のとき、手元にお金がないと対応できないのです。

貸したお金を返してほしい銀行は、何かあったとき、借り手がすぐに対応できるかどうかを見ています。

たとえば、貸し室10室のうち4室が空いてしまったら、アパートローンの返済が難しくなります。そのとき預金があれば、そこから返せると見てもらえます。

リフォームが必要になったときも同じです。

手元に現金がなければ、きちんとリフォームができません。リフォームできなければ、借りてくれる人もいなくなります。悪循環に陥ってしまい、結局アパートを手放したうえに借金だけが残る、ということになりかねません。

リフォームは、設備の耐用年数などに基づいてある程度計画的に進めることができますが、**突風で窓ガラスが軒並み割れてしまうような事態は、予測がつきません。**

2019年9月の台風15号は千葉県を中心に、10月の台風19号は関東甲信・東北地方を中心に甚大な被害を出しました。

アパート経営をする人は、そういう可能性も考えに入れたほうがよさそうです。

どんな投資であれ、元本を割り込むリスクはかならずあります。それが嫌な人は、繰り上げ返済をすればいいと思います。

これは、その人の性格や適応力にもよるでしょう。投資の知識や経験が備わっている人はチャレンジすればよいですし、投資に興味が持てず堅実にいきたい人は繰り上げ返済でいいのです。

いずれにしても大前提となるのは、あくまでライフプラン。自分のライフプランをつくって、お金を長期的に俯瞰(ふかん)しなければいけません。

答え

大前提はライフプラン。それを立て、いつ、いくら必要か見きわめたうえで、余裕があれば繰り上げ返済をしてもいい。ただし、低金利・団信加入など住宅ローンのメリットは大きく、むやみに繰り上げ返済する必要はない。住宅ローン金利以上で投資運用できる人、アパート経営など事業をする人も、繰り上げ返済の必要はない。

自分ひとりで、できる仕事はない。
同様に、自分ひとりで、
資産を増やすことはできない。

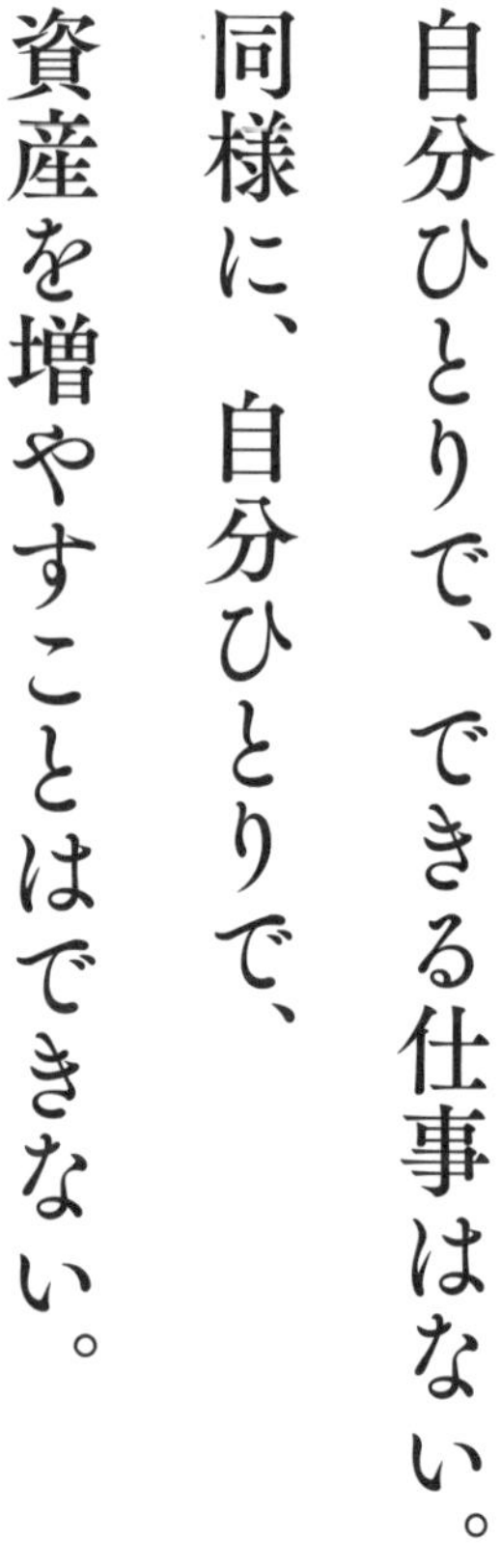

第4章

みるみるうちに必ずお金が貯まる「お金の基本」は、どっち？

銀行に積み立てをすることは、
あなたの信用も
積み立てることになる。

質問 21

クレジットカードを持つなら「2枚」か「4枚」か、どっち？

第1章で、税金や公共料金の支払いは、クレジットカードがお得な話をしました（23ページ「質問1」）。

では、あなたはクレジットカードを、いま何枚くらい持っていますか？

なかには自分で把握できないくらいの枚数を持っている人もいるかもしれませんね。最近は、店のポイントカードや航空会社・家電量販店・ホテル・百貨店などの会員カードと一体になったクレジットカードがあふれています。

ポイントが貯まり特典もあれこれついてくるので、得をした気分で、次々に「一体型クレジットカード」をつくった人もいるでしょう。

でも、ちょっと待ってください。そこには大きな落とし穴が潜んでいるのです。

先に触れたように、**クレジットカードには「キャッシング枠」というものがあります**（157ページ「質問18」）。

これは、そのクレジットカードで現金を借りることができる限度額のことです。

キャッシングすると、カード会社から一時的に無担保でお金を借りることになります。カード会社は、あなたに湯水のようにお金を貸してくれるわけではありません。

当然ながら上限が決まっていて、それがキャッシング枠です。**この枠は、あなたに対する信用ですから、何枚クレジットカードを持っていたとしても、金額が大きくなることはありません。**

あなたのキャッシング枠が１００万円だったとします。このときカードを1枚持てば、１枚のキャッシング枠は１００万円。では、カードを4枚持てばキャッシング枠が合計４００万円に増えるかというと、そうはならず、１００万円のままです。

つまり、そのカードをどれだけ使ったかに関係なく、カードの枚数が多ければ多いほど、１枚あたりのキャッシング限度額は少なくなる。カード会社からすれば、**あなたの信用が低い、**ということになるわけです。

これだけでも、**クレジットカードは４枚より２枚のほうがいい**とわかるでしょう。

では、「いっそ1枚だけのほうがいいのでは?」と思いますか。2枚を持つ理由は、なくしてしまったときの保険です。財布を落としたら、現金もキャッシュカードも一時的にない状態になってしまい、困るでしょう。ですから、クレジットカードは2枚にして、１枚は持ち歩き、もう1枚は予備として家に置いておくのが理想です。

カード枚数が多すぎると、家が買えなくなる!?

もっと深刻な問題になりかねないのが、家を買うときです。銀行が住宅ローンを融資するときの基本スタンスは、返済利率を収入の35%に抑えることです。

たとえば、毎月の手取り給料が30万円の人なら、月々の返済額が10万5000円を超えないようにするわけです。ただし、これには重要な注意書きがあります。

ほかの借り入れと合わせた「トータル」が、収入の35%なのです。

ほかに借り入れがなければ、35%まるまる借りることができます。でも、仮にクレジットカードのリボ払いや分割払いで毎月3万円を返済中だったとすれば、銀行は毎月の住宅ローンを、「10万5000円－(マイナス)3万円＝7万5000円」までしか貸してくれません。

ようするに、**住宅ローンで借りることのできる額が、クレジットカードの返済額分**

少なくなります。本来なら月収30万円で融資してもらえるはずの10万5000円を借りたいだけなのに、住宅ローンの審査で落とされる結果となってしまいます。

クレジットカードをたくさん持っていると、もっと最悪なことも起こります。あなたが気づかないうちに、あなたの信用が失われているかもしれないのです。

クレジットカードで買い物をして、引き落とし口座の残高不足にずっと気づかないなど、支払いを忘れていたとします。すると、これは金融機関の信用情報に「入金遅れ」として記録されます。

1回や2回ならば大した問題ではありませんが、**何回もあると「この人は信用できない人だ」と見なされ、住宅ローンの融資を断られることがあります。**

銀行は、当然ながら、貸したお金が返ってこないことをもっとも嫌います。過去になんらかの返済が滞っている人は、銀行から見れば「だらしない人」です。

それが繰り返されていれば、なおさらです。何度も延滞して、しかも返済がなければ、完全な「事故扱い」になってしまいます。

こういう事態は、クレジットカードの枚数が多い人ほど起こりやすいのです。どのカードがいくらの支払いか把握しにくいうえ、給料振込口座とカード引き落とし口座が別というケースが増え、うっかり入金を忘れてしまう恐れがあるからです。

ですから、**クレジットカードは2枚にしぼり、その決済口座は給料振込の口座にすべきです。**まだ家を買う予定がない人も、いずれ住宅ローンと向き合う時期がやってきます。そのとき慌てても、もう遅いのです。

自分の信用情報は調べられる？

自分の信用状態を見たい人は、個人で信用情報を調べることもできます。「信用情報センター」でネット検索すると、次の3つが出てきます。

◎全国銀行個人信用情報センター（ＫＳＣ） http://www.zenginkyo.or.jp/pcic/

全国銀行協会が設置、運営する個人信用情報機関。銀行系クレジットカード、銀行住宅ローンなどの登録情報が多い。

◎株式会社シー・アイ・シー（ＣＩＣ） http://www.cic.co.jp

クレジットカード会社、信販会社、リース会社、消費者金融、携帯電話会社などが加盟する個人信用情報機関。クレジットカード、自動車ローン、携帯電話ローンなどの登録情報が多い（一部の消費者金融も）。

◎日本信用情報機構（JICC） http://www.jicc.co.jp

貸金業、クレジット会社、リース会社、保証会社、金融機関などが加盟する個人信用情報機関。クレジットカード、消費者金融などの登録情報が多い。

3つとも情報を一部共有しているので、どれかひとつの信用情報を取れば、およそのことがわかります。申請方法などくわしい情報は各サイトで確認してください。

とくに住宅ローンを借りる前には、自分の信用が毀損（きそん）されていないか調べ、毀損しているものがあれば、きちんと整理しておくべきです。情報は5年ほど残りますが、クリーンな状態に戻してクレジット契約を解約しておけば、銀行の印象もそれほど悪くならないでしょう（「解約済」の記録が残りますが、放置よりはるかにましです）。

銀行で住宅ローンを申し込むときはかならず、ほかにどんな借り入れがあるか書かされます。あなたの借り入れ情報を調べることができる銀行が、それでもわざわざ書かせるのは、あなたの申告と銀行が取った信用情報が合っているかチェックするためです。こうして、あなたが「信用できる人間かどうか」を見ているわけです。スマホのローン残高を書き忘れたくらいなら黙っているでしょうが、心証はよくありません。

銀行員の心証しだいで、融資が認められることも、認められないこともあるのです。来るべきときのために、きちっと備えておかなければいけません。

「リボ払い」も「銀行カードローン」も、絶対に利用してはダメ

ここでクレジットカードの「リボ払い」（リボルビング払い）に触れておきましょう。これは、毎月の支払い額を固定して金利とともに返済していく方法のこと。「分割払い」も、毎月の支払い額が一定という点は似ていますが、こちらは支払回数を6回（半年）や12回（1年）などと決めて、金利とともに返済していく方法です。

結論からいうと、**リボ払いの金利は15％と、とんでもない金利です。絶対に利用してはいけません。**

同じように利用してはダメなのは、銀行系列のカードローンです。

昔の消費者金融は、現在ほとんど銀行の子会社と化し、テレビCMを盛んに流しています。ネットや自動契約機で手続きできる手軽さ、「銀行がやっている」という安心感などから、カードローンへの警戒心が薄れてしまった人も多いようです。

でも、いくら印象がよくなったとしても、「悪い借金は、悪い借金」です。**銀行カードローンは金利の高い借金で、新たにお金を生まない借金でしかありません。**


金融業界の常識に「72の法則」というものがあります。これは「72÷金利＝お金が2倍になる期間」を表しています。たとえば金利が7・2％であれば、10年で借金が倍になり、100万円借りれば200万円を返済しなければいけません。利子だけで100万円も取られてしまうのです。

7・2％ですらそんな状態なのに、カードローンの金利は、利用限度額100万円以下で14％前後という高金利。こんな金利で借金することは「自殺行為」です。

金余りの世の中、銀行は国債を大量に買い入れています。内部留保を大量に積み上げ投資も抑えがちな企業は、なかなか借りてくれません。住宅ローンは1%を切るような低金利。原価スレスレの状態、ほとんど儲かりません。

ようするにカードローンしか、貸せるところがないのです。だから、銀行は必死でカードローンを契約させようとしてきます。でも、これは銀行の都合であって、私たちの人生にはまったく関係のないことです。「あなたのたくましい安定収入を俺にくれ」という話ですから、そんな話に乗ってはいけません。

カードローンでお金を借りれば、銀行はあなたを「破綻の可能性のある人」と見なします。たび重なれば、あなたの信用毀損（きそん）につながりかねません。現実にカードローンが破綻への「初めの一歩」となるケースも非常に多いのです。

子会社は、お客様にカードローンをすすめてガンガンとキャッシングさせる。親会社は、それを信用毀損ととらえる。ひどい話ですが、これが銀行の実態なのです。

銀行とあなた、「どちらも得する」なんてことはない！　あなたの「資産」は銀行の「負債」。逆に、あなたの「負債」は銀行の「資産」。銀行とあなたの「Ｗｉｎ－Ｗ in」関係なんて、ありえません。このことをどうか肝に銘じてください。

答え

クレジットカードは2枚持つ！　銀行からお金を借りる将来のため、信用を失わない注意が必要。クレジットカードの「リボ払い」も銀行カードローンも、絶対に利用してはダメ。

成功のために最も必要なのは
「夢」ではない。
「努力」を「継続」することだ。
努力を継続するために
「夢」が必要なのである。

質問 22

貯金は「天引きする」か、「お金が余ったらする」か、お金が貯まるのは、どっち？

毎月、決まった額を積み立てようと考える人もいれば、余ったお金を貯金にまわそうと考える人もいます。

どちらのほうがお金が貯まるか。

これは簡単ですね。

そう、天引きで貯金する人です。**お金が貯まる人の絶対条件は「計画性があるかどうか」です。**

ただ、なかには、天引きすることで、かえってお金が貯まらないという人がいます。これは天引き額をやたらと大きく設定してしまう人です。必死に貯金しようとするあまり、無理な金額を設定し、毎月の生活を苦しくする。最初の何か月かは我慢できても、無理は続きません。

やがては、苦しくなった月末に貯金に手をつけてしまい、これがきっかけで貯めるモチベーションを失ってしまった人を、銀行員時代に山ほど見てきました。

無理なく貯金するためには、貯金額を手取り収入の15〜20%くらいにするのが妥

当です。手取り20万円の人であれば毎月3万〜4万円を、30万円の人であれば毎月4万5000〜6万円を貯金にまわすのです。

重要なのは、額で決めるのではなく、割合で決めること。手取りの収入が変わったら、それに応じて貯金の額も変更してください。これで、家計を赤字にせず、きちっと貯めることができます。

「割合」が重要というのは、貯金だけにいえることではありません。すべての支出を割合で決めるようにすることが、とても大事です。

給料からの天引き預金を収入の15〜20%、ほかにはたとえば、住宅費（家賃）は収入の25〜30%、保険料は5〜7%、通信費・光熱費は7〜10%、食費は10〜15%、交際費は5〜7%、雑費は3〜5%と決めて、残りを臨時支出などにあてる。

これは、長年の経験から私が得たパーセンテージです。絶対この範囲でなければダメとはいいませんが、かなり普遍性・妥当性のある割合だ、という自信があります。

この割合から大きく逸脱している項目があれば、たとえばスマホをゲームなどに使いすぎではないか、といった点検をすればよいでしょう。

割合で支出を管理することは、ムダづかいをなくすコツでもあります。

もちろん、住宅費などをもっと切り詰められる人は、その分を貯金にまわしてもいいでしょう。いずれにしろ、毎月決まった割合で先に天引きするようにします。

逆にいえば、そうしなければお金は貯まりません。**余裕ができたときに貯金をするといって、実際に貯金ができた人を、残念ながら私は見たことがありません。**

貯金は、余った分をするのではなく、先にするものなのです。

預金は、将来お金を借りる予定の銀行にしなさい

毎月、積み立てる割合（金額）を決めたら、銀行に「天引き積立口座」をつくって、そこに毎月預金します。そして、その口座には一切手をつけないようにします。

問題は、どの銀行を選ぶのか、ということ。天引き用の口座は、どの銀行でもいい

わけではありません。

最大のポイントは、将来、自分がお金を借りる予定の銀行で積み立てることです。

若いうちから意識しておいてほしいのは、銀行はお金を預けたりおろしたりするだけの場所ではなく、「お金を借りる場所」だということです。

一般の会社員や主婦にとって、**銀行を利用するいちばんのメリットは、お金を低い金利で長期に貸してくれることなのです。**

「お金なんて借りない……」と思う人がいるかもしれませんが、それはまったく違います。たとえば家を買うときは、お金を借りなければいけません。やがて買ったマンションは人に貸し、やや広い新しいマンションを買うことになるかもしれません。このときも住宅ローンが必要です。

第3章のはじめにお話ししたことを思い出してください（131ページ「質問15」）。住宅ローンを上手に活用することが、資産形成のカギでしたね。

将来、事業をおこすかもしれません。事業資金は、銀行からの借り入れです。**いずれ、銀行からお金を借りるときがやってきます。**住宅ローンを使う人はもちろん、資産を増やしたいと思っている人は、なおさらです。

そのときを見越して、**若いうちから、借りたいと思う銀行に預金するのです。**

同じ５００万円でも、「コツコツ」か「ドカン」で銀行の評価は大違い

では、なぜ、借りたい銀行に積み立てるのか。それは、そのほうが将来お金を借りやすいからです。

貸す側の銀行員が見ているのは、あなたが信用できる人かどうかです。つまり、「まじめな人」かどうかを見ているわけです。貸したお金を返してもらうためには、将来、破綻することがなさそうな、堅実で、まじめな人のほうがいいのです。

たとえば、ある人の口座に５００万円が入っているとします。これが、毎月コツコツ10年かけて貯めた５００万円か、昨日一括でドカンと振り込まれた５００万円かでは、銀行にとっての評価が、まるで違います。

前者には、きちんと貯金を続けることができる堅実な様子が見てとれますが、後者

はもしかすると明日、全額使ってしまう人かもしれない、と銀行は見るのです。

銀行は、自分の銀行についての入金履歴しかわかりませんから、後者の500万円がどんなお金かわかりません。親からもらったお金かもしれないし、どこかから借金したお金かもしれない。**そんなあやふやな人に、銀行はお金をすんなりとは貸しません。**貸すのは、前者です。

住宅ローンの場合は、購入物件が担保になります。ただし担保価格は、だいたい購入金額の70％程度になります。5000万円の物件であっても、3500万円の評価額にしかなりません。

購入物件の3割を自己資金（頭金）で払える人はいいのですが、払えない人には、銀行は信用でお金を貸すことになります（「信用貸し」といいます）。

銀行がその人を信用する要素はいろいろあります。たとえば、大企業に勤めているとか、公務員であるとかいったことも、信用のひとつです。

でも、みんながみんな大企業に勤めているわけではありませんし、いまはそうでも、将来は中小企業に転職するかもしれません。そんなときのための信用のひとつが

「積み立て」なのです。

10年間にわたって毎月4万円をコツコツ貯めてきて、500万円にたどり着いた実績は、ものすごい信用になります。

その人は、まじめでお金の管理もしっかりしていそうですよね。返済が滞ることもなさそうです。**これまでコツコツと貯めてきた履歴がはっきり見えるので、銀行は安心してお金を貸してくれるわけです。**

ここで、疑問が浮かびます。

では、どこの銀行で積み立てれば将来、お金を貸してくれそうなのか？　そこで、次の項目では、元銀行員だからこそわかる銀行選びのポイントを伝授しましょう。

答え

お金が貯まるのは「天引き」で預金する人。コツコツと積み立て、銀行に信用される人になろう！

質問 23

口座を開くのは「メガバンク」か「信用金庫」か、お金が貯まるのは、どっち？

将来、自分はどんな人生を歩んでいきたいか——。

そんなことがわかっている人は、ほとんどいないかもしれません。

でも、人生の選択肢は、できるだけ多く残しておきたい。「この会社で一生働いていくほかない……」なんて選択肢のない人生は、つまらないですよね。


将来、独立したいと考えるかもしれません。

将来、マンションを買いたいと思うかもしれません。

将来、子どもを3人ほしいと思うかもしれません。

将来、高級車をほしいと思うかもしれません。


そんなとき、望んだ選択をするには、お金が必要になります。そこで**大切になるのが、どんな銀行に口座をつくるのか、**ということです。


独立するなら、銀行から事業資金を調達しなければなりません。

ただ、残念ながら、よほどのことがない限り、「メガバンク」と呼ばれる巨大銀行

（日本では三菱ＵＦＪ銀行、三井住友銀行、みずほ銀行）は相手にしてくれません。

三井住友銀行を退職した私は、事業を始めるとき、古巣の銀行で法人口座を開こうとしたのですが、大変な思いをしました。営業する事務所の賃貸契約がなかったので、自宅の不動産謄本を持ってこいといわれたのです。

以前勤めていた私が口座を開くだけでも大変なのですから、「マイクロ法人」と呼ばれる**零細企業がメガバンクから事業資金を融資してもらうことは、もっと難しい。**

最初は、ほとんど相手にされないと思っておいたほうがいいでしょう。

住宅ローンも同じです。大企業の社員や公務員など、将来が安定している（と銀行が判断する）人には、喜んでお金を貸してくれますが、中小企業の会社員や、ましてフリーランスの人には、審査が厳しくなります。

信用金庫なら「王様」として扱ってくれる

そこで、ぜひ活用してほしい銀行があります。それは「信用金庫」です。

マイクロ法人に融資してくれるのは、なんといっても地元の信用金庫なのです。**信用金庫は、地域の役に立つというミッションを持っているため、地元の商店街などの小さな店舗や、個人事業主が主要なお客様になります。**

新しく事業を始めようと思ったとき、あなたの力になってくれるのは、地元の信用金庫です。

住宅ローンの審査も同じです。前項（203ページ「質問22」）で紹介した「コツコツ貯めて信用を得る」という方法は、じつはメガバンクではあまり効果がありません。いまお話ししたように、メガバンクは大企業の会社員や公務員には優しく、中小企業の会社員やフリーランスにはたいへん厳しいのです。

でも、信用金庫なら「コツコツ戦法」が効果を発揮します。信用金庫も、もちろんお金を貸したいのです。その金利で商売をしているわけですから。メガバンクが相手にしないようなお客様を相手にすることで、彼らは食べています。

ですから、**コツコツとまじめに積み立ててきた「信用できる人」にお金を貸そうと**

します。

人生の選択肢をなるべく残しておくためには、**信用金庫をあなたのメインバンクにして、給料をここに振り込み、同時に積み立てもおこなうのです。**これが将来、かならず役に立つときがきます。

「給料振込口座」（通称・きゅうふり口座）を信用金庫につくるメリットは、ほかにもあります。信用金庫にとって、口座に500万円の預金があれば、得意客です。1000万円の預金になれば、担当者がつくような扱いになります。

ところが、メガバンクの口座に1000万円の預金があったとしても、担当者がつくこともなければ、特別扱いされることもありません。

どちらのほうがお金を借りやすいか。どちらのほうがVIP対応してもらえるか。

そんな視点で見れば、圧倒的に信用金庫のほうが優位です。

中小企業の人はもちろん、大企業に勤めている人で将来の転職や独立を考えている人も、**信用金庫に口座を開いて、今から実績（毎月の積み立て）をつくっておくといいでしょう。**

メガバンクに口座を開くな、とはいいません。信用金庫のきゅうふり口座で月々の積み立て、公共料金やクレジットカードの引き落としなどをおこなうのが基本です。**支店が多く旅先でも利用しやすいメガバンクの口座は、緊急にお金を引き出すときのため5万~10万円といった残高を入れておき、補完的に使えばいいでしょう。**

地域に根ざす信用金庫ならではのメリットがある!

地域に根ざし、地域の業者と密に付き合っている信用金庫のメリットを、具体的にお教えしましょう。

たとえば、家のリフォームを思い立ったとき。

大手のリフォーム会社に頼もうと、多くの人が考えがちですが、実際のリフォーム工事は地域の工務店が下請けしています。元請け会社が代金の2~3割くらいを抜いて、地元の工務店に任せているのが現状です。

ならば、**最初から信用金庫に相談して、地元の工務店を紹介してもらったほうがいい。**その業者は、信用金庫の顔に泥を塗るようなことはしないでしょう。

インターネットを使って自分で探すこともできますが、安くて工期も早い業者だと思って頼んだら、ぼったくられてしまったなんて失敗をよく耳にします。信用金庫の助けを借りれば、信頼できる工務店を選ぶことができて安心です。

あるいは、定年後にビジネスを始めるとき。

相談すれば、仕入れ先や潜在的な客先を紹介してくれるかもしれません。これは、信用金庫をはじめとする金融機関が、日頃から積極的におこなっている**「ビジネスマッチング」**というサービスです。

信用金庫は、地元の経済に貢献するという使命があります。顧客には、お金以外の相談も気軽にできるというメリットがあります。

同じことをメガバンクが個人事業主やマイクロ法人相手にやろうとしたら、人件費でパンクしてしまいます。安定していて沈みにくい巨大な船よりも、見た目は心細いけど小回りのきく小さな船のほうが役に立つ、という場合があるのです。

信用金庫は、地元の顧客が抱える課題を解決することで顧客を引きつけ、ビジネスにつなげようとしています。もちろんどこの信金もそうではなく、玉石混交です。

「地元の事業者をつないでもらって助かった」と称賛の声が聞かれる信用金庫がある一方で、「フットワークが重い」「相談しても対応のレベルが低い」などと陰口をたたかれるところもあります。

まずは、地元にどんな信用金庫があるか、調べてみてはいかがでしょうか。

もちろん近所に信用金庫がない場合は、同じような性格がある地方銀行でもかまいません。

答え

「きゅうふり口座」は信用金庫につくり、そこに積み立てて信用を築く。メガバンクは、緊急でお金を引き出すときのために活用する。

質問24

「普通預金」と「定期預金」、お金が貯まるのは、どっち？

「これからお金を貯めたい！」という段階では、毎月の手取りのうち20％を貯蓄にまわすとしても、あまり多くのお金ではありません。

手取り20万円とすれば、毎月４万円ずつで年48万円。それを定期預金にしても大した利息はつかないので、わざわざ定期預金にするメリットは小さいですね。

これは「天引き積立口座」に預金しましょう（２０３ページ「質問22」）。

天引きで貯金をしていても、普通預金の金額が増えてくると、使える金額が増えたような気になって、自然と気持ちが大きくなってしまいます。これがムダづかいの原因になります。

ですから、**普通預金にある程度のお金が貯まった段階で、その一部を定期預金に移すことをおすすめします。**目安になるのは、

「手元にいくら置いておきたいか」

です。その金額を決めておき、上回ったら余剰分を定期預金にまわすわけです。

手元に置いておきたい金額は、人によって異なります。普通預金に２００万円なけ

れば安心できない人もいれば、30万円あれば充分という人もいます。

まずは、自分が安心できる額を把握することが大事です。これはとても心理的なことです。過去の自分を振り返ったとき、預金残高がある額を下回ったら、心にザワザワとした不安が起こったはずです。その金額が、あなたの下限額です。

具体的な行動は簡単です。たとえば、安心できる金額が50万円の人であれば、普通預金の残高が60万円になったら、10万円を定期預金に移すだけ。

手元に置いておきたい金額は、年齢や家族構成などによって変わってくるので、段階的に引き上げていく必要があるでしょう。

「総合口座」なら、通帳1冊でなんでも管理できる!

普通預金から定期預金にお金を移すとき、別々の通帳だと面倒くさくて仕方がありません。そこで「総合口座」を利用します。

総合口座は、「定期預金」と「普通預金」が一体になったもの。同じ口座ですから、定期預金に振り替えるのも便利で、通帳も1冊ですみます。

総合口座には、ほかにもすばらしい利点があります。それは、**自動融資をしてくれることです。**通常の定期預金は、解約しない限り、あらかじめ選んだ一定期間（1～3か月、6か月、1～7年、10年など）は引き出すことができません。しかし、総合口座にすれば、定期預金を担保にお金を自動的に融資してくれるのです。

融資金額は金融機関によって異なりますが、担保となる定期預金の90％以内で、同時に金融機関が定める最高限度額（多くの銀行で２００万円）の範囲内で、しかも低金利で貸してくれます。

急にお金が必要になったとき、定期預金のお金を担保に、お金を一時的に用立ててくれる。つまり、お金の流動性を確保したまま定期預金にすることができるのです。

たとえば、残高30万円の普通預金から40万円を引き出すと、足りない10万円が定期預金を担保に自動融資されます。通帳残高は一時的に「-100,000」となりますが、次の給与振込で25万円入金があれば、自動的に返済がおこなわれ、残高15万円になります。うっかり返済を忘れてしまうという事態も避けやすいでしょう。

余ったお金を通常の定期預金や株、投資信託などで持っているよりも、総合口座の定期預金を活用するほうが、お金を貯めながら、不測の事態に対応できる安心を得られるわけです。

ただ、自動融資には、低いとはいえ金利が発生します。 すぐボーナスが入るなど、入金予定のめどがある場合だけ活用すべきです。返済期間をとくに設けていない金融機関も多いので、何年も放っておくと貸越利息をずっと払い込むことになります。

「貯蓄預金」を使えば、臨時支出があっても赤字にならない！

総合口座には、普通預金と定期預金のほかに「貯蓄預金」というものもあります。この貯蓄預金は、家計の管理で有効に使うことができます。

私がおすすめするのは、**「貯蓄預金で臨時支出を管理する方法」**です。

家計には、友人への結婚祝いや出産祝い、賃貸マンションの更新料といった臨時支出があります。いくらきっちり家計簿をつけ、収入と支出のバランスをコントロールしても、臨時支出が発生して、その月は赤字になってしまうことがあります。このことでお金を貯めるモチベーションが下がってしまうこともあるでしょう。

そうならないように、ベースの支出（食費や光熱費など）と臨時的な支出は、最初からはっきり分けておいたほうがよいでしょう。つまり、臨時的な支出は、あらかじめ予算を立てておくのです。

年間でかかる臨時的な支出は、おおよその予想が立ちます。

ご祝儀でいくら使いそうか？
賃貸マンションの更新料はいくらか？
固定資産税は？
自動車税や車検代は？
帰省費用は？

これらを想定した合計金額を出して、それを12か月で割った額を毎月、貯蓄預金に貯めておくのです。たとえば、年間で30万円ならば、それを12で割った2万5000円を毎月、貯蓄預金に入れておくわけです。

もちろん、臨時支出は臨時収入（ボーナス）でまかなうという考えもアリですね。

総合口座の3つの機能を使い倒す

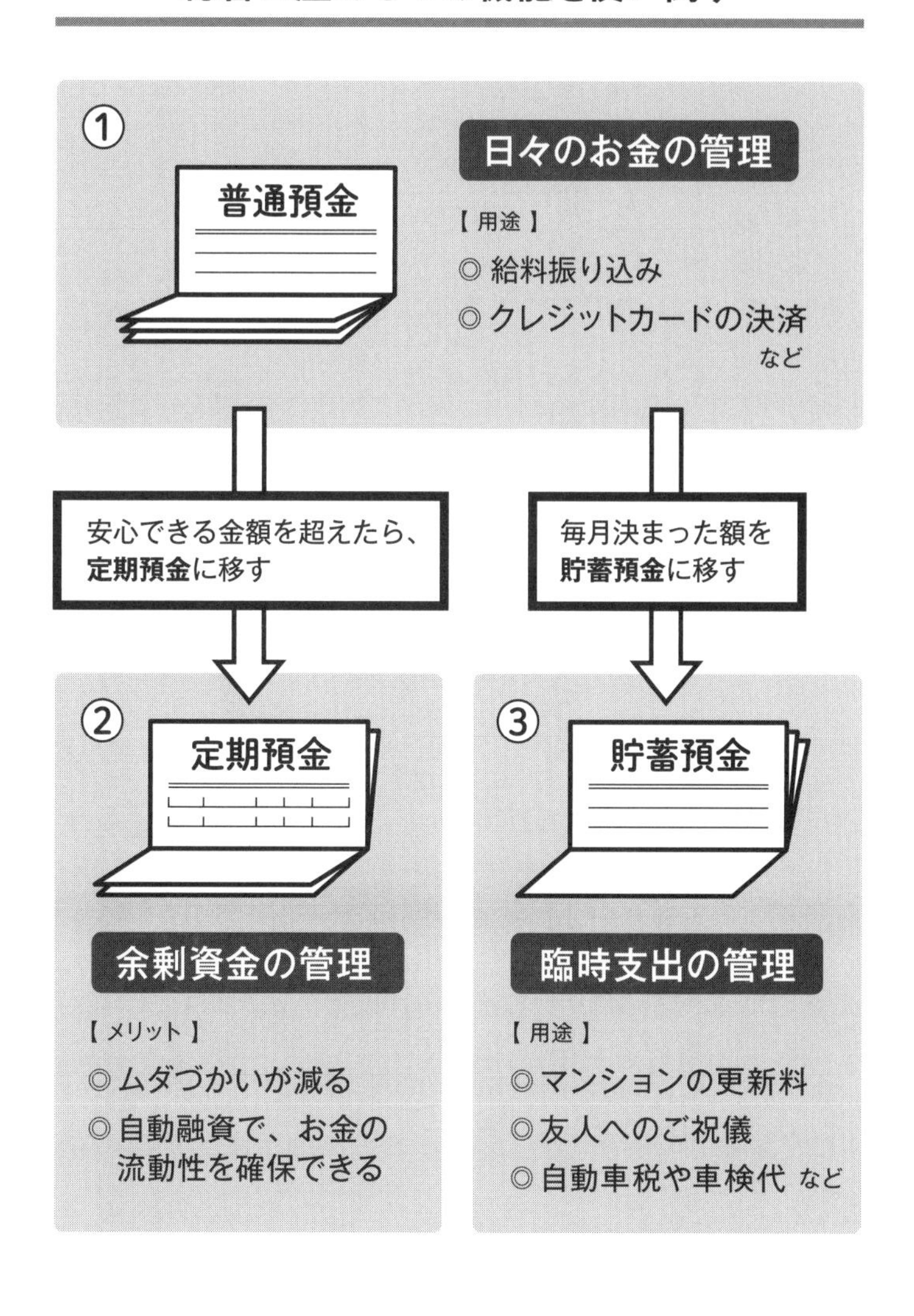

両方組み合わせてもいいかもしれません。

とにかく、**ベースの支出と臨時的な支出を分けて考える。臨時的な支出を総合口座の貯蓄預金で管理する。**そうすることで支出が安定し、資金繰りも安定してくるのです。元銀行員からすれば、総合口座を「使い倒す」ようにしなければ、もったいないとしかいいようがありません。

答え

「総合口座」をつくり、普通預金・定期預金・貯蓄預金の3種を使い倒す。普通預金には生活費と安心できる手元資金を、定期預金には余剰分を、貯蓄預金には臨時出費分を、それぞれ入れておく。

質問25

お金をおろすのは、「銀行」か「コンビニ」か、どっち？

この問いには、多くの人が「銀行」と答えるのでは？　はい、正解です！
お金は、たしかに銀行でおろすべきです。なぜ銀行でおろすべきなのでしょう？
理由を何人かに聞いたら、みなさん一様に、こう答えました。

「コンビニに行くと、ついついほかの買い物もしてしまう。だから節約できない」

そう！　その通りなんです。**コンビニが銀行のATMを置いている最大の理由は、「ついで買い」をしてもらうためです。**

ATMでの引き出しや公共料金支払いをしようとお客様がコンビニに来たとき、ついでにペットボトル飲料、ガム、飴、日用品などを買ってもらう。ATMを呼び水にした集客こそが、コンビニエンスストアの根本的な狙いです。

家計簿をつけてみればよくわかりますが、意外にもコンビニで使うお金が多いことに驚くはずです。お金をおろすついでに、いろいろ買い物をしてしまう。なかには、コンビニだけで月5万円以上のお金を使っている人も、いるのではないでしょうか。
だからこそ、コンビニのATMを利用することは危険なのです。

銀行がコンビニにATMを置いた理由とは？

いまコンビニがATMを置く理由を説明しました。では、銀行がコンビニにATMを置く理由はご存じですか？

あなたはお金を何時におろしますか？　昼間働いている人なら、仕事が終わった夕方以降に利用することが多いのではないでしょうか。あるいは、土曜や日曜日などの朝、出かける前におろしていませんか。

お金をおろしたいと思う平日夜や週末は、銀行の「業務時間外」です。この意味がおわかりですか？　**コンビニATMだろうが銀行本支店のATMだろうが、銀行は時間外には「手数料」を取ります**（窓口が開いているときの銀行ATM利用は無料）。

銀行は、自分たちが休んでいても、ATMから手数料収入を得る仕組みをつくっているわけです。これが、銀行がコンビニにATMを置き始めたそもそもの理由です。

さらにその後は、コンビニのATMでお金をおろすと、時間に関係なく手数料がかかるようになりました。

たかが110円の手数料ですが、月10回引き出せば1100円。年に1万3200円にもなります。10年間で13万2000円です。これでも手数料なんて微々たるものといえるでしょうか。

早朝や週末のATM引き出し手数料を220円にしている銀行も少なくありません。**年で2倍、2万6400円の手数料がかかることも考えてみてください。** 離れて住む家族に送金するような振込手数料は、また別にかかります。

銀行によっては、クレジットカードとセットになったキャッシュカード（質問21で触れた「一体型クレジットカード」の一種）もあります。これなら、クレジットカードの年会費はかかっても時間外手数料はゼロですから、利用してもいいでしょう。なかには、月3回までなら時間外手数料がかからないキャッシュカードもあります。

ここまで読んだあなたは、「こりゃ、銀行でおろしたほうが絶対に得だ」とますます確信したかもしれません。しかし、ここからがもっとも大切なポイントです。

では、「銀行でおろす」は本当に正解なのか？

じつは、コンビニでおろそうが、銀行でおろそうが、お金を貯めることに無計画な人は、いずれにしろ「アウト！」なのです。どういうことでしょうか？

コンビニでお金をおろすことの最大の問題は、ついで買いでも、手数料でもありません。「無計画」なことです。

あなたがコンビニでお金をおろすときのことを思い出してみてください。おろしに行くのは、どんなときですか？

「そんなの、お金が必要なときに決まってるじゃない」

こう答えるかもしれませんね。これが最大の問題です。**「お金は必要なときにおろす」というやり方こそが、ダメなのです。**

毎月どのようにお金を使うか、いくらの予算でやりくりするかを決め、あらかじめ必要な金額を4週で割り算し、「毎週月曜の朝に1万円おろす」というように、「計画性」をもって管理しなければいけません。「今週は、いくらで生活する」と決めるのです。計画性を持ってお金を使う(=お金をおろす)という着実な行動の結果として、お金が貯まっていきます。

20代のころは、こんな考え方を一度もしたことがありませんでした。使いたい分だけお金をおろして使い、足りなければ、その分を稼げばいいと思っていました。

でも、30代になって家族を持ったとき、自分でいろいろなルールを決めました。手取り収入から30%を毎月天引きで貯蓄する、毎月の小遣いは6万円、などがそうです。そうしなければ、決してお金が貯まらないからです。

コンビニではなくかならず銀行のATMを使っても、計画性なしにお金をおろすのでは意味がありません。**毎週決まった日に、決まった金額をおろしてください。**

Suica、PASMO、ICOCAといった「電子マネー」を、多くの人が利用していますね。あなたはチャージのとき、いくら入れるようにしていますか?

いつも1000~2000円ずつチャージする人は、「なくなりそうなときチャージする」という意識でしょうか。5000円か1万円をチャージする人は、チャージ回数をなるべく少なくしたいからでしょうか。いずれにせよ、あまり深く考えていな

お金が貯まる人の行動パターン

① 毎月の予算を決める

② 予算を4週で割る

たとえば……

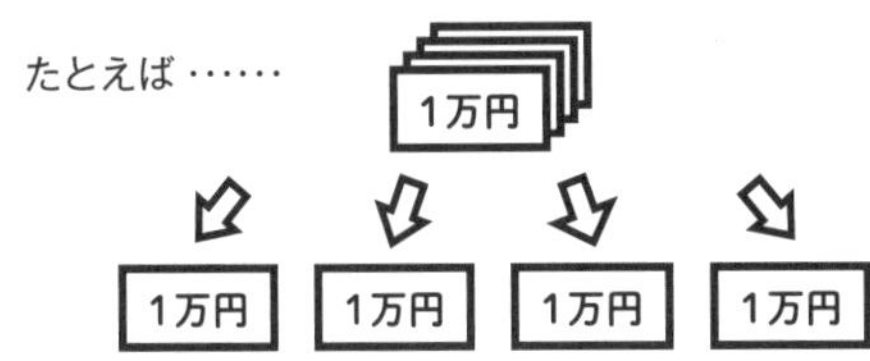

③ 毎週月曜日に銀行で1万円をおろす

毎週月曜日に！

「必要なときにコンビニでおろす」は最悪！

1万円で1週間をやりくりする
↳ 計画性が大事！

い人が多いのではないか、と思います。**毎回のチャージ金額が3000円だろうが、1万円だろうが、やっぱり大切なのは「計画性」です。**

まずSuicaを何に使うか決める。「交通費」専用、「交通費＋コンビニ代」専用、「昼のコンビニ弁当＋お茶代」専用などと決めるのです。交通費なら定期代以外に月7000円、毎日コンビニで買うのがお茶くらいなら月3000円。そう計算して月初めに1万円チャージする。

こうして、毎月の交通費なりコンビニ代なりを計画した範囲内に抑えるというルールを自分に課します。肝心なのはそんな「計画性」であることをお忘れなく。

答え

コンビニでも銀行でも、無計画にお金をおろしてはダメ！毎月の予算を決め、週ごとに分割して、毎週月曜日に必要な金額を「銀行」でおろす。コンビニでおろすと手数料がかかるうえに「ついで買い」をしてしまう。

質問 26

お金の話を「よくする人」か「あまりしない人」か、貯まるのは、どっち？

銀行というのは、銀行員のモチベーションを上げるのが本当にうまい組織です。

そのひとつが**「日足(ひあし)管理」**。「足」とは、株価のような変動するデータをグラフで表すときの、短冊型をしたひとかたまりのデータ(棒グラフ1本)のこと。データが示す期間が1日・1週・1か月なら、それぞれ「日足」「週足」「月足」です。

営業では、月初めから月末までコンスタントに売り上げをあげて、月次目標を達成することが望ましい。そこで銀行では、月に獲得する定期預金の目標(ノルマ)が5000万円ならば、それを日数で割ります。月の営業日の25日で割り算すると、1日の目標は200万円。この日足を1か月分、棒グラフにして黒板に掲げます。

このグラフに、日々の実績がトレース(上書き)されていく。営業のだれそれは、今日現在どれだけ目標に達していないか、一目でわかるようになっているわけです。

実績が「日足グラフ」よりも、いつも下回っていれば、借金を抱えているようなもので、頑張って挽回しなくては、とモチベーションが上がります。

銀行員だった私は、**この方法を家計にも応用していました。**小遣いを「週足」で管理することにしたのです。

当時の私の小遣いは、月6万円です。週1万5000円となりますが、週末に会費5000円の飲み会があれば、その分を取っておく必要があります。ということは、1週間の小遣いは1万円。7日で割って、1日1400円くらいになります。

もし飲み会が4500円で済んだなら、翌週に500円の繰り越しとなる。週予算1万5000円で実績1万3000円だったら、2000円の繰り越しとなります。

これが、一種のゲーム感覚で、なかなか楽しい。月の繰越額が5000円にもなればうれしくなって、ちょっと大げさですが、5000円が愛おしくすらなります。

こうしてお金が貯まっていきます。

銀行の日足グラフ

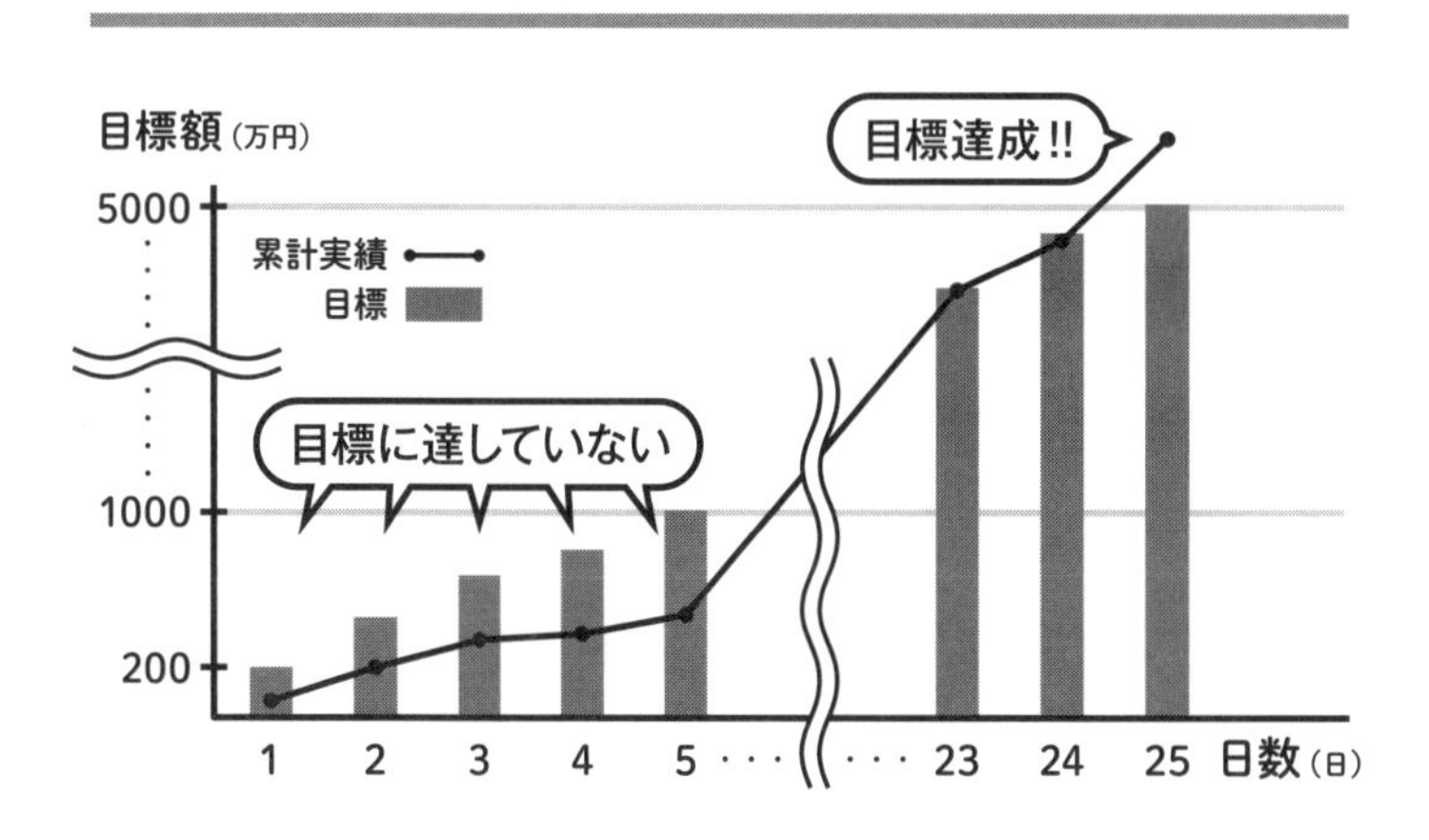

お金の管理をあえて「公表する」メリットとは？

こうしてお金が貯まってきたことを、みんなに内緒にする人と、公言する人がいますね。では、どちらが、お金が貯まりやすい人だと思いますか？

私は、「公言する人」だと思います。何も自慢げに話せ、ということではありません。**公表することを、自分のモチベーションの向上につなげるのです。**

銀行では、毎週月曜日に朝会があって、そこで目標達成に向けた進捗状況を発表しなければなりません。目標5000万円に対し、その時点の実績が2500万円だったとすれば、「残り2500万円については、どこそこに4500万円の材料があるので、ここで消化するべく日参しています」などといわされるわけです。このことで自分を追い込み、モチベーションを上げるのです。ですから、

「俺、今週1万5000円で過ごしているんだ」

と公言したっていい。公言すれば、モチベーションが高まります。

そして、思わぬ効果もあります。お金を貯めていると公表することで、不要な飲み会や行きたくもないゴルフに誘われなくなって、ムダな出費が減るのです。誘われたくない人に聞こえるように、あえて公言するのも効果的です。

私は銀行員時代、よくセミナーに行っていました。水曜日はセミナーに行くと宣言していたので、みんなに気兼ねなく会社を早く出ることができました。これが知れ渡ると、同僚から「今日は水曜だから、そろそろ帰ったほうがいいんじゃないの？」と、声をかけられるまでになりました。

公言することのメリットは、モチベーショ

小遣いを週足で考える

1週間の小遣いが1万5000円の場合

	予算	実績
月曜日	1400円	1000円
火曜日	1400円	1200円
水曜日	1400円	1500円
木曜日	1400円	800円
金曜日	6400円	5700円
土曜日	1400円	1800円
日曜日	1600円	1000円
合計	15000円	13000円
繰越		2000円

予算達成！

予算オーバー！

2000円の繰越！

金曜日は飲み会プラス5000円の予算を計上

残りの1万円を7日で割って予算を立てる

ンが高まるだけでなく、周囲があなたに協力してくれるようになることです。

フェイスブックで、友達限定公開で貯金状況を発表するのも、おもしろいかもしれません。「今月は5000円の赤字でした！」と家計簿の一部を掲載したり、ランチは写真に加えて値段もちゃんと紹介したりする。「こんなもの買ってしまいました」というのも、性格が出るのでおもしろそうです。

そのうち、友人から「レシートの管理なら、こんなグッズが便利だよ！」などと、お金に関する情報をもらえるようになるかもしれません。周囲があなたを応援してくれるようになれば、あなたのモチベーションもさらにアップするはずです。

答え

お金の話はどんどん公表しよう。貯めるモチベーションが上がり、周囲も協力してくれるようになる。

質問 27

借金が「2000万円」と「500万円」、破綻しやすいのは、どっち？

いま、あなたの借金はいくらありますか？　住宅ローンは残りいくら？　車のローンは？　少額でもスマホのローンが残ったりしていませんか？

多かれ少なかれ、たいていの人が借金を抱えているでしょう。

でも、うまく借金して幸せな人生を送る人もいれば、借金によって人生を破綻させてしまう人もいます。私は銀行員時代、借金を返済できずに自己破産してしまった人を数多く見てきました。じつは、**破綻してしまう原因は、借り入れの総額ではなく、借り入れの本数にあります。**

住宅ローンで2000万円を借りていても、35年ローンならば、毎月の支払い負担は5万5000円ほどですみます。これなら、返済に困るほどではありません。

しかし、30万円、50万円、100万円のカードローンなど、複数を借りている場合は、高金利によって、月々の返済額がすぐ15万円くらいになってしまいます。

全体の借金は500万円ほどでも、借り入れ本数が多いため、毎月のキャッシュ負担が大きくなってしまう。こうして結局、払いきれずに破綻してしまうケースがとても多いのです。

こういったカードローンの借り入れは、生活資金にあてる場合が多いでしょう。たとえば、高額の教材を買ったり、車を買ったりしたときのローンです。ところが、**あるカードローンの返済をするために、別のカードローンを借りたときから、最悪のループが始まってしまいます。**

カードローンの問題は、借り入れ期限です。住宅ローンの期限が30年や35年なのに対して、**カードローンの期限はほとんどが1～5年。金利も高いので、毎月の支払いは非常に高額となってしまいます。**

銀行員時代、「これほどの収入がある人が、この程度の借金で破綻してしまったのか！」と驚くケースを、私は何度も目の当たりにしました。

住宅や車のローンに縛られながら、子どもの学費も、保険の支払いもある。すると毎月15万～20万円くらい、簡単に出ていってしまいます。給料が入っても、すぐカードローンの返済で取られていくので、毎月ギリギリの状態。

根本的な支出をコントロールしなければいけないのに、穴埋めをする借り入れのことばかり考えて、借金を繰り返すハメになるのです。そもそも傷ができる原因を取り除かなければならないのに、それをせず、次から次へとあちこち生じる傷口に必死で絆創膏（ばんそうこう）を貼りまくっている――そんな状態です。

生活水準がいったん高くなってしまうと、なかなか下げることができません。しかし、自分や家族のことを考えて、生活水準を下げる勇気が必要です。そうしないと、落ちるところまで落ちる結果になってしまいます。夜逃げ同然で実家に帰らなければならなくなったら、こんな惨めなことはありません。

生活費を補うために、借金の本数を増やすことだけは、絶対にしないでください。借金でしのぐのではなくて、支出を削る努力をするのです。

落ちるところまで落ちる人のタイプは？

まじめで、何事にもねばり強く挑む人がいます。多少のピンチになってもあきらめずに最後までやりとげる。

一方、すぐにあきらめてしまう「いい加減な人」もいます。

どちらが仕事ができるかというと、当然、前者のまじめな人でしょう。

ただし、注意が必要です。**まじめで、ねばり強い人が、じつは案外、破綻してしまいがちなのです。**

私がやっている「アパート経営」を例にとりましょう。ある人が中古アパートを購入して人に貸し出しました。購入当時の利回りは12％で、毎月50万円が手元に残る好物件。銀行融資もすんなり受けることができました。

ところが、物件が古くて、借り手が退室するたびに60万円ほどかけて手直しが必要でした。水回りの手直しで200万円かかったこともありました。リフォームするたびこんなコストがかかるのでは、利益を出すどころか赤字がふくらみかねません。

危ないと深刻に考えてすぐ売ればいいのですが、気づかずに3室、4室とリフォームし経費がかさんでいきました。ここで、まじめで、ねばり強い人は考えます。

「もう4室もリフォームしたんだから、投資した分を取り返さなければ。いままでの人生でも何度もピンチがあった。そのたびに切り抜けてきたじゃないか。自分なら、できる！」

こうして、タイミングを失い、「損切り」ができなくなります。

結局、全11室のリフォームに700万円近くかかってしまった。キャッシュフローがずるずる悪化していく。預金が底をつき、毎月の収入からの補填も限界を迎え、とうとうカードローンに手を出す。何本もカードローンを借りると、資金繰りがますます難しくなって、やがて何も考えられなくなってしまいます。

まじめでねばり強い彼は頑張り屋さんなので、自分で経費を削減したり、リフォームをしたり、ようするに、ピントはずれのムダな努力してしまうのです。**プライドが高くて人に相談できないことも、破綻しやすい要因でした。**

その結果、状況がきわめて悪いのに、損切りして撤退する決断ができず、なお借金を重ねて火だるまになってしまう。

少々いい加減で、「これくらいの損なら、まあしょうがない」と考えられるくらいで、ちょうどいい。ねばりすぎると、知らず知らずのうちに、地獄行きの切符を手にしてしまうのです。

答え

２０００万円の借金であっても、住宅ローン中心の「いい借金」ならば破綻しない。問題なのは借り入れの本数。これが多いと、３００万円や５００万円くらいの借金で自己破産することも。「まじめで、ねばり強い人」が損切りできず破綻しやすい。

【特別付録1】「菅井流 お金が貯まるノート」

家計簿とは、収入と支出を記録するノートのことです。

家計簿はつけてみたいけれど、どんなものがいいのか迷っていませんか？

そこで、私が銀行員時代に実際につけていた、とっておきの家計簿をご紹介します。

しくみは、いたってシンプルです。

家計簿をつけるのは月1回だけ。月単位で収入と支出を管理し、それを横に12か月並べて、1年間でノートの見開きひとつ（2ページ）になるようにつくります。家計が月単位でも、年単位でも一目でわかるように「見える化」するんですね。

ポイントは支出の項目の立て方です。上から、住宅費、保険料、子ども、交通費と続いていますが、これはあくまでの私のケース。

昼食代、日用品代、飲み代、書籍代、光熱費、車代、など自分のお金の使い方を思い浮かべ、自分の生活にあった項目を自由につくってください。

現金で買い物をした場合は、それぞれの項目に仕切った箱にレシートを入れていけば、月末の仕分けの手間が省け、家計簿をつけるのが楽になります。

クレジットカードを利用した場合は、利用履歴を活用しましょう。

もうひとつのポイントは、支出を「通常」と「臨時」に分けて、それぞれ別の見開きページをつくることです。

家計には、冠婚葬祭や帰省、家族旅行など、臨時の出費があります。それは、各月によって大きく異なるもの。毎月の定期的な支出とは別に管理するため、家計をコントロールしやすくなります。

このノートを3期（3年）続けると、各期の数字を比較できるようになり、大きな構えから、お金の使い方の傾向が見えてきます。それは、節約だけでなく、生活の見直しにもつながるでしょう。

いいことずくめの、このノート。今月から始めませんか。

■ 1年間の臨時支出（記入例）

1991年（臨時）	1月	2月	3月	4月	5月	6月	7月	8月	9月	10月	11月	12月	合計
住宅・設備													
引越			123										123
交際費													
プレゼント						15							
出産祝				15		15 20				15	15		95
冠婚葬祭費													
祝儀						60				20	20		120
香典						10			10				
旅行帰省													
実家帰省					52			48				56	156
旅行													
その他													
合計			123	15	52	120		48	10	35	35	56	494

臨時の支出をつける

・冠婚葬祭や帰省費用など、
　臨時で発生した支出を月ごとに記録する

・臨時支出を左ページの「1年間の収入と支出」の表に
　記入してしまうと、収支が月ごとに大きく変わり、
　家計を管理しづらくなる
・臨時支出のための予算は、別に貯金しておく

**⇨ この表をつけることで、「日常の収支」には組み込めない
臨時支出がひと目でわかる！**

菅井流　お金が貯まるノート

■1年間の収入と支出（記入例）

1991年（通常）

	1月	2月	3月	4月	5月	6月	7月	8月	9月	10月	11月	12月	合計
■収入													
給与	283	290	282	290	282	285	295	296	295	295	295	295	3,504
ボーナス													
その他	200												
合計（A）	483	290	282	290	282	285							
■支出													
住宅費	80	80	80	77	77	77	77	77	77	77	77	77	933
保険料	15	15	15	15	15	15	15	15	15	15	15	15	180
子ども	10	12	12	8	8	10	8	12	12	8	5	10	115
交通費	5	8	8	5	10	9	9	12	9	8	8	12	103
食費こづかい	94	99	93	95	96	97	96	93	99	101	99	98	1,160
通信・光熱	27	27	27	30	29	30	30	31	32	29	29	31	352
服・床屋	7	7	7	7	7	7	7	7	7	7	7	7	84
自己投資	12	15	10	15	12	12	20	10	7	5	20	21	159
交際費レジャー	11	18	10	10	10	10	12	11	10	12	12	20	146
臨時積立	20	20	20	20	20	20	20	20	20	20	20	20	240
合計	281	301	282	282	284	287	294	288	288	282	292	311	3,472
■純収入	1	▲16	1	10	11	9	1	8	7	13	3	▲16	32

日常の収支をつける

・収入と、食費・住宅費・教育費などの支出を記録する
・支出の項目は、自分にあったものに変えてよい
・記録は月１回でOK

・1か月間のクレジット利用履歴を用意する
・レシートは、項目ごとに分けた箱へ、そのつど入れる
・月末になったら集計し、この表に記入する

⇨ **自分が何にいくら使ったか、**
どこでムダづかいをしているのかがひと目でわかる！

お金を貯めるためにも、子どもに伝えるためにも、自分の「資産」の内容を知ることが、はじめの一歩。預金や不動産だけが資産ではありません。この表に金額を記入して、あなたの資産がいくらあるのかを把握し、今後の人生設計に役立てよう！

資産		負債	
① 現預金	円	⑦ 自動車ローン	円
② 株式	円	⑧ 住宅ローン	円
③ 保険返戻金	円	⑨ その他	円
④ 自動車	円	負債合計	円
⑤ 不動産	円	**純資産**	
⑥ その他	円		円
資産合計	円	負債・純資産合計	円

⑦⑧⑨ ローンの残高を記入する

⑨その他：教育ローン、奨学金、クレジットカードの未払いなども含まれる

Ⓐ ①〜⑥を足した金額

Ⓑ ⑦〜⑨を足した金額

Ⓒ Ⓐ資産合計−Ⓑ負債合計

Ⓓ Ⓑ負債合計＋Ⓒ純資産　※ⒶとⒹは同額

「あなたの資産がわかる！ バランスシート」

記入例

資産		負債	
① 現預金	700万円	⑦ 自動車ローン	75万円
② 株式	200万円	⑧ 住宅ローン	1000万円
③ 保険返戻金	50万円	⑨ その他	50万円
④ 自動車	50万円	負債合計 Ⓑ	1125万円
⑤ 不動産	3500万円	**純資産**	
⑥ その他	50万円	Ⓒ	3425万円
資産合計 Ⓐ	4550万円	負債・純資産合計 Ⓓ	4550万円

① 手元にある現金＋預金を記入する

②④⑤⑥ いま売却した場合の金額を記入する

④自動車：新車を 150 万円で購入、ローンの残高は 75 万円、
現在の売却価格は 50 万円とする

⑤不動産：新築を 4000 万円で購入、ローンの残高は 1000万円、
現在の売却価格は 3500 万円とする

⑥その他：金（ゴールド）、宝石、時計、骨董、絵画なども含まれる

③ いま保険を解約した場合に戻ってくる金額を記入する

一生お金に困らない！
新・お金が貯まるのは、どっち!?

発行日　2020年 4 月24日　第1刷

著者　菅井敏之

本書プロジェクトチーム

編集統括	柿内尚文
編集担当	高橋克佳、斎藤和佳
編集アシスタント	高間裕子
デザイン	菊池崇＋櫻井淳志（ドットスタジオ）
編集協力	坂本衛
校正	澤近朋子
営業統括	丸山敏生
営業推進	増尾友裕、綱脇愛、渋谷香、大原桂子、桐山敦子、矢部愛、寺内未来子
販売促進	池田孝一郎、石井耕平、熊切絵理、菊山清佳、櫻井恵子、吉村寿美子、矢橋寛子、遠藤真知子、森田真紀、大村かおり、高垣真美、高垣知子、柏原由美
プロモーション	山田美恵、林屋成一郎
講演・マネジメント事業	斎藤和佳、高間裕子、志水公美
編集	小林英史、舘瑞恵、栗田亘、村上芳子、大住兼正、菊地貴広、千田真由、生越こずえ、名児耶美咲
メディア開発	池田剛、中山景、中村悟志、長野太介
マネジメント	坂下毅
発行人	高橋克佳

発行所　株式会社アスコム

〒105-0003
東京都港区西新橋2-23-1　3東洋海事ビル
編集部　TEL：03-5425-6627
営業部　TEL：03-5425-6626　FAX：03-5425-6770

印刷・製本　株式会社光邦

Printed in Japan ISBN 978-4-7762-1074-0

本書は『お金が貯まるのは、どっち!?』『家族のお金が増えるのは、どっち!?』を元に
大幅に加筆、修正したものです。